teamLab

チームラボ　無限の連続の中の存在
Existence in an Infinite Continuity

姫路市立美術館 企画

金木犀舎

1st Term

teamLab: Existence in an Infinite Continuity
チームラボ 無限の連続の中の存在〈前期〉

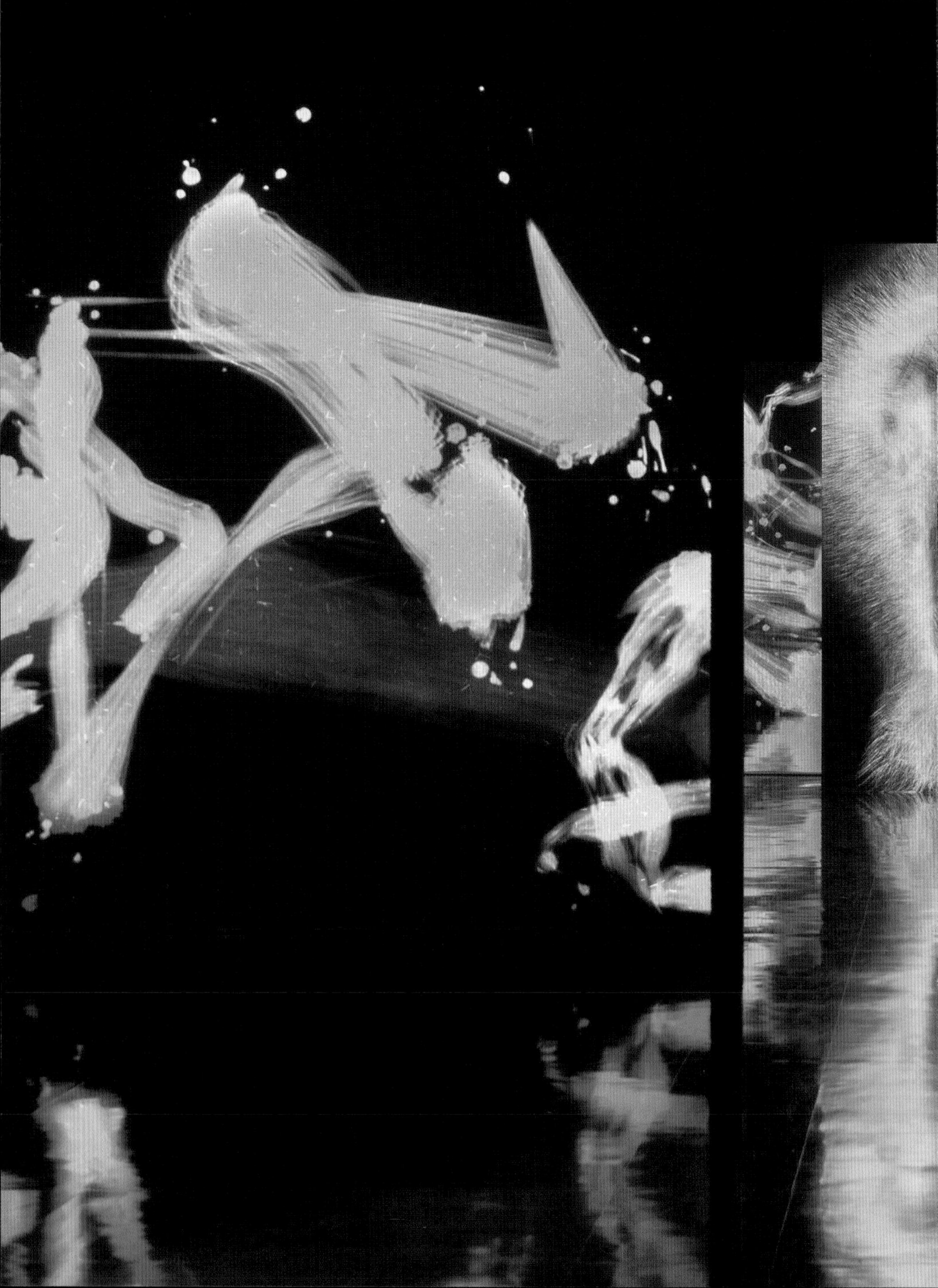

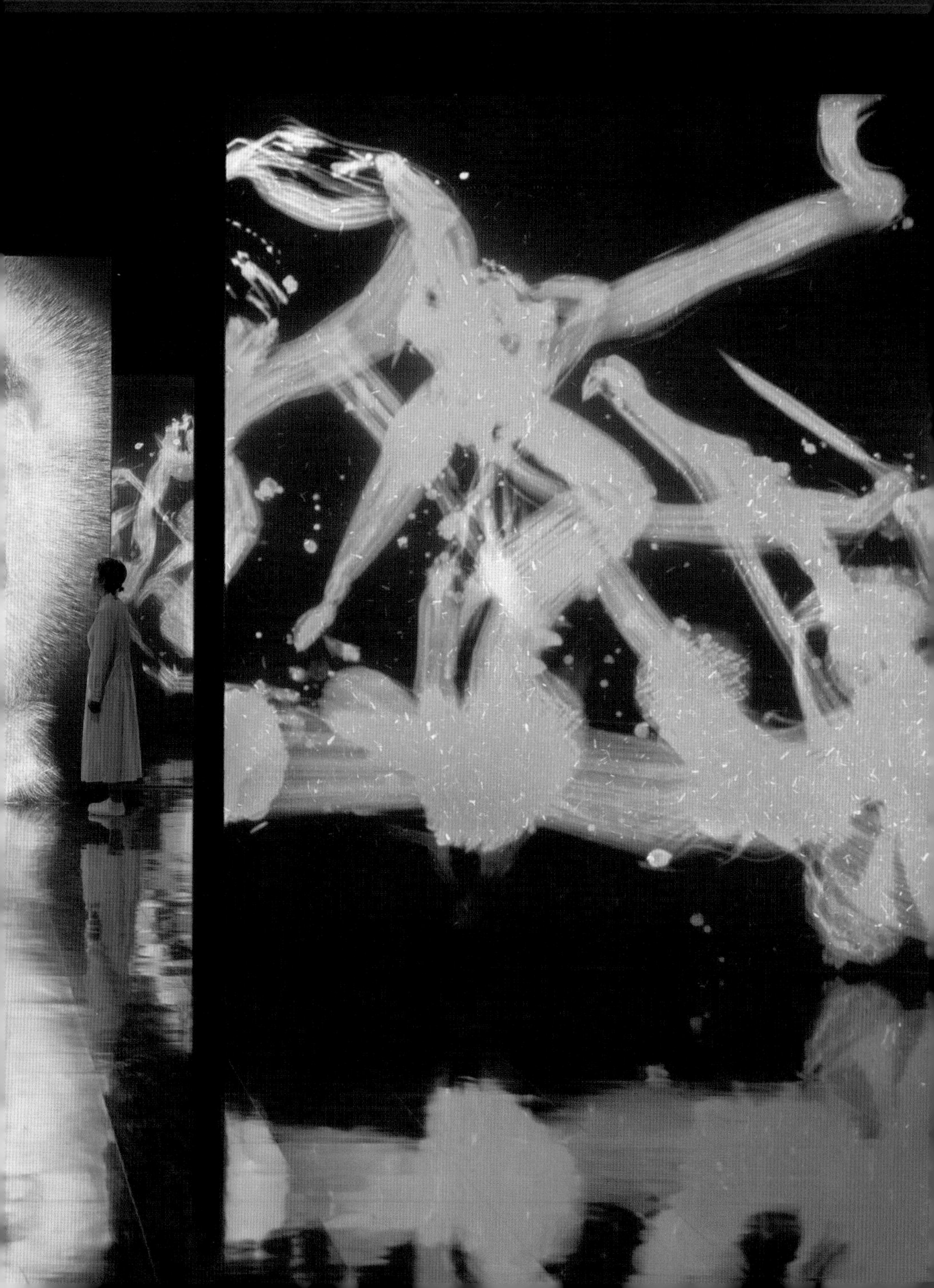

at Himeji City Museum of Art, 2023

Life Survives By the Power of Life Ⅱ

生命は生命の力で生きているⅡ

teamLab: Existence in an Infinite Continuity <1st Term>
at Himeji City Museum of Art, 2023
teamLab, 2020, Digital Work, 60 min (loop),
Source Calligraphy: Sisyu

自分と環境は、不二、つまり、二つに見えるが実際は一つであり、切り離せない。分断の反対とは、統合ではなく、二つに見えるものも実際は一つであることに気が付くことかもしれない。

自然の恵みも脅威も、そして文明の恵みも脅威も、連続的で、つながっている。どこかに絶対的な悪意があるわけでもなければ、かといって綺麗ごとでもすまされない。わかりやすい解などないし、感情すら整理できないかもしれない。それでも、あらゆる状況においても“生きる”それを全部肯定したい。生命はうつくしい。

生命や生きることを意味する漢字「生」を「空書」で立体的に書いている。「空書」とは、チームラボが設立以来書き続けている空間に書く書のこと。書の墨跡が持つ、深さや速さ、力の強さのようなものを、新たな解釈で空間に立体的に再構築し、チームラボの「超主観空間」によって2次元化している。書は平面と立体との間を行き来する。

レンズや遠近法で切り取った作品空間は、ディスプレイ面の向こう側に、作品空間が出現する。つまり、ディスプレイ面が境界となり、鑑賞者が存在する空間と作品空間は、分断してしまう。しかし、「超主観空間」の特徴の1つであるが、「超主観空間」で切り取ったこの作品空間は、ディスプレイ面が境界とならない。この作品空間は、ディスプレイ面を超えて、鑑賞者が存在する空間まで立体的に存在しているかのように認知される。作品空間は、鑑賞者の肉体がある空間と連続する。（teamLab）

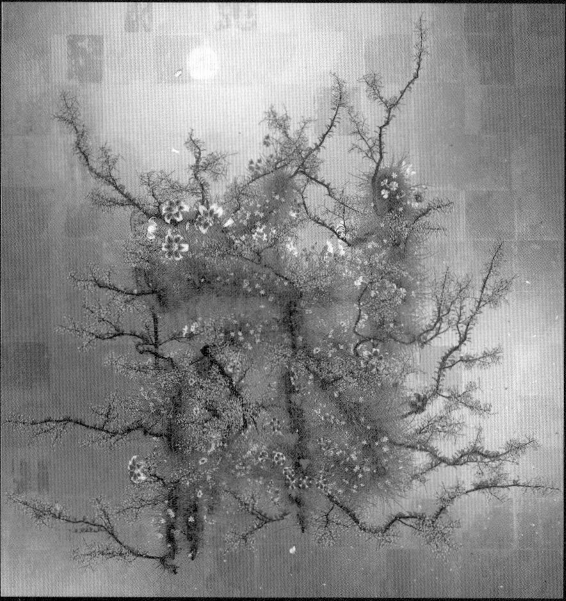

Autonomous Abstraction, Continuous Phenomena from the Universe to the Self

Autonomous Abstraction, 宇宙から自分の存在まで連続する現象

teamLab: Existence in an Infinite Continuity <1st Term>
at Himeji City Museum of Art, 2023
teamLab, 2022, Interactive Digital Installation, Endless,
Sound: teamLab

自律抽象画。

点は固有の明滅と色相の周期を持つ。近い点同士は、互いに引き込み現象を起こし、近い点同士の明滅のリズムと色相が近づいていく。人々が点に触れると、点の明滅と色相のリズムが変化しバラバラになるが、近い点同士はまた引き込み現象を起こしていく。

各点は明滅ごとに一つの音色を響かせる。空間は、その音の連なりだけが鳴っており、音楽と感じる空間の音色は、その明滅の音色の連なりだけで形成している。

引き込み現象とは、異なるリズムが互いに影響を受けてそろっていくこと。壁にかかった2つの振り子時計の振り子が、だんだん揃っていくこと。1本の木にたくさんホタルが集まると、同じタイミングで点滅がはじまり、大きな光を作り出すこと。心臓を構成する細胞たちが同期して、同じタイミングで震えることによって、心臓の拍動が生み出されていることなど。物理現象、神経生理、生命系や生態系など多様な系で見られる。個々が全体を俯瞰する能力を持たないにも関わらず、個々の自律的な振る舞いの結果として、秩序を持つ大きな構造を作り出す現象である自己組織化であり、自発的秩序形成とも言える。

本来宇宙では、エントロピー（無秩序の度合いを表す物理量）が極大化に向かうとされ（エントロピー増大の法則）、形あるものは崩れていくのが摂理だ。しかし、それにもかかわらず、太陽が生まれ、惑星が生まれ、生命が生まれ、社会が存在していることは、はなはだ不思議である。宇宙や生命、自然や社会が成り立っているのは、無秩序に向かう中で、自己組織化という共通の現象によって、ひとりでに秩序が生まれ続けているからかもしれない。つまり、この宇宙も、自分の存在も、同じ現象によって連続的に生まれた秩序なのだ。（teamLab）

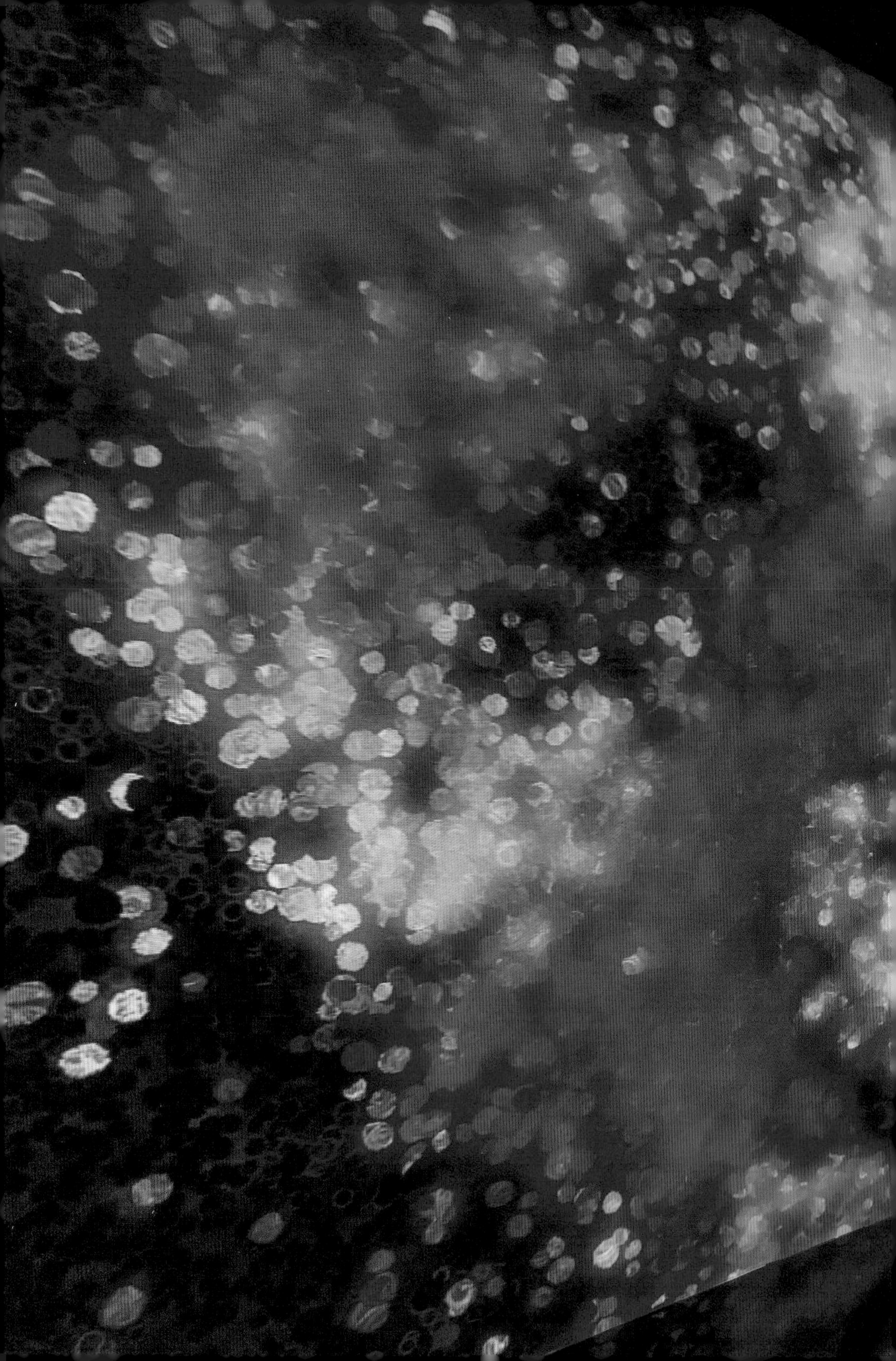

Forest of Proliferating Immense Life

増殖する無量の生命の森

teamLab: Existence in an Infinite Continuity <1st Term>
at Himeji City Museum of Art, 2023
teamLab, 2023, Interactive Digital Installation,
Sound: Hideaki Takahashi

空間には複数の季節が同時に存在し、季節がゆっくりと移り変わっていく。1年間の花々が、誕生と死を繰り返しながら、増殖と死滅を繰り返し、生まれる場所が移り変わっていく。人々が花々にふれると、花々は散って死ぬ。

花々の空間は、チームラボが考える「超主観空間」によって切り取っているため、レンズやパースペクティブによって切り取った空間とは違い、鑑賞者は視点が固定されず、身体が自由になる。そして、花々が映し出された壁は、我々と作品との境界面にならず、花々の作品空間は、人々の身体のある空間と連続する。(teamLab)

Reversible Rotation – Light in Dark

反転無分別 – Light in Dark

teamLab: Existence in an Infinite Continuity <1st Term>
at Himeji City Museum of Art, 2023
teamLab, 2023, Digital Installation,
Sound: Hideaki Takahashi

書かれた「空書」は作品空間の中を全て同一方向に回転しているが、「超主観空間」の特性として、視覚的には、左回転も右回転も論理的に同等となる。そのため、意識によって、書は、左回りにも、右回りにもなる。（teamLab）

Dissipative Figures – Human, Light in Dark

Dissipative Figures – Human, Light in Dark

teamLab: Existence in an Infinite Continuity <1st Term>
at Himeji City Museum of Art, 2023
teamLab, 2023, Digital Work, Single channel, Continuous loop

生命の存在の輪郭は、肉体の境界面ではなく、それらと連続する環境も含めた、曖昧なものである。
人は生きている限り、エネルギーを散逸し、空気などの環境を動かしていく。
この作品は、人が生きている限り世界に与え続けるエネルギーで、人物の存在を描いている。

私という存在は、心と体とそれらと連続する環境である。

石ころや、これまで人間がつくってきたものは、それ自体で安定的な構造をもつ。
しかし、生命は違う。石ころは、外界から遮断され密封された箱に入れても存在し続けるが、生命は、そのような閉じた箱に入れられると存在を維持できない。

生命は、海に生まれる渦のようなものである。
渦は、流れの中にある存在であり、その存在の境界は曖昧である。

実際、渦は定常しているが、うごめき続け、力強い一つの生命のように見える。
渦は、それ自体で安定した自らの構造を保っているものではなく、渦の外部から内部へ、そして内部から外部へと流れ続ける水によってつくられ、その流れによって渦の構造は維持され続ける。

生命も、外部から食物として物質とエネルギーを取り込み、物質を排出し、エネルギーを外に散逸させながら、秩序構造をつくりあげている。つまり、生命の構造は、そのもの自体ではなく、それらと連続する環境によってつくられている。

生命は、開いた世界の中で、流れの中に生まれる奇跡的な現象であり、海の渦と同じように、その存在の境界が曖昧な、無限の連続の中の存在である。

生きているということは、世界へエネルギーを散逸し続け、世界と連続しているということなのだ。（teamLab）

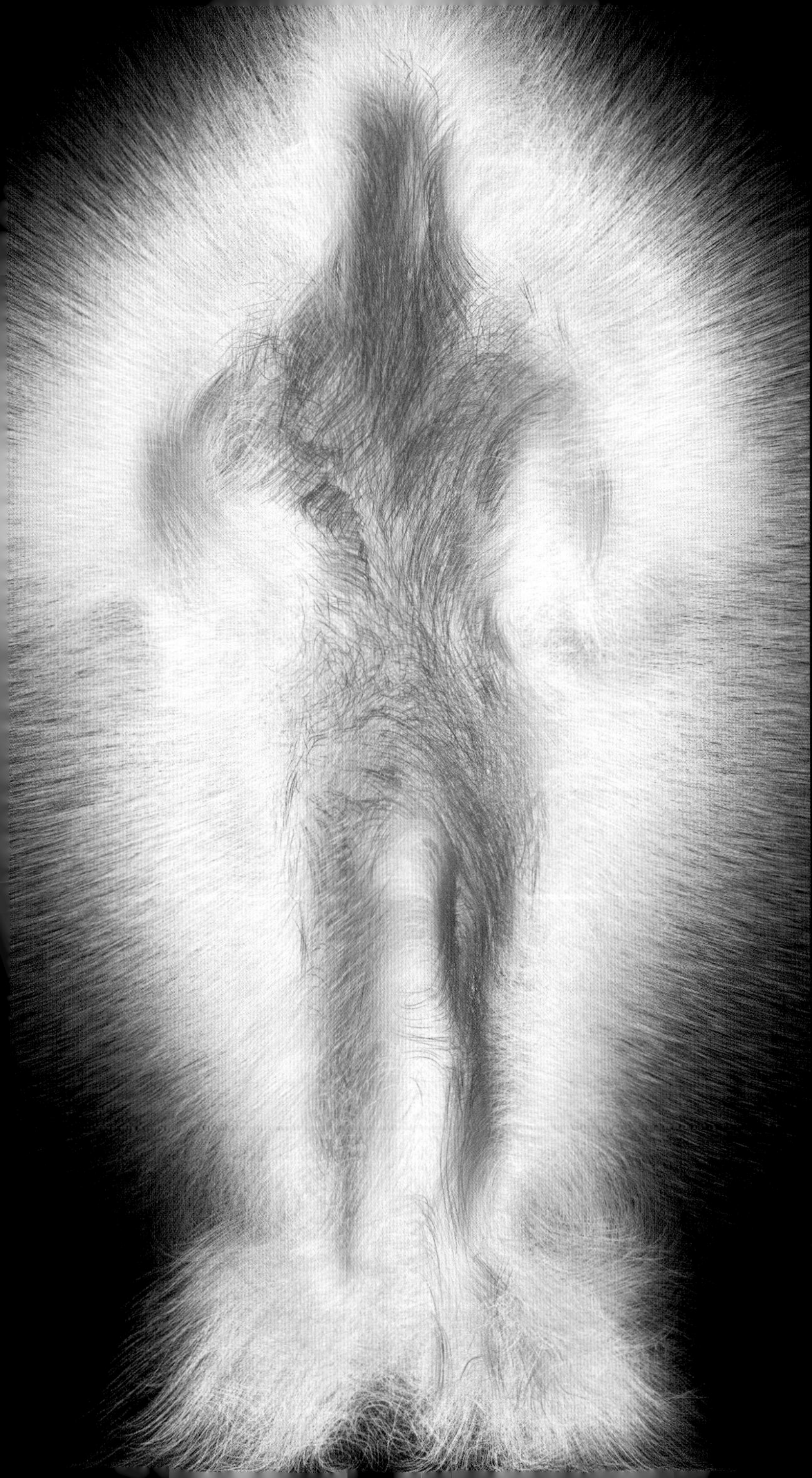

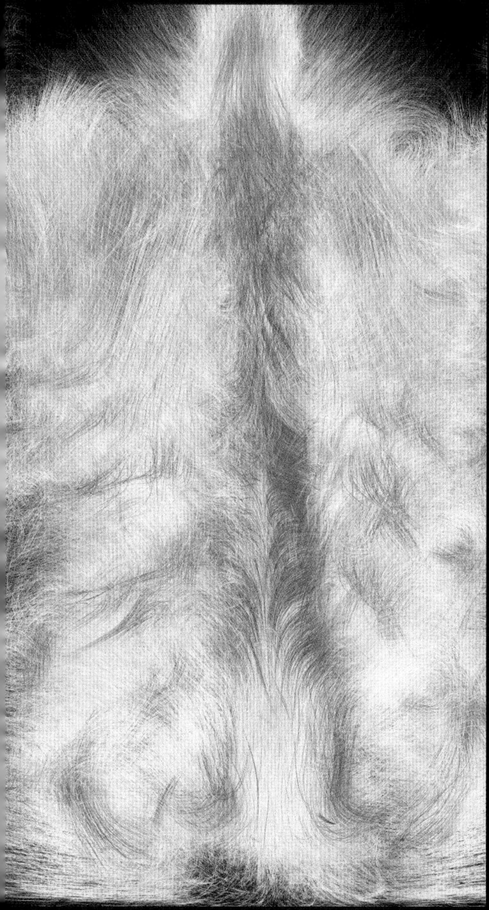

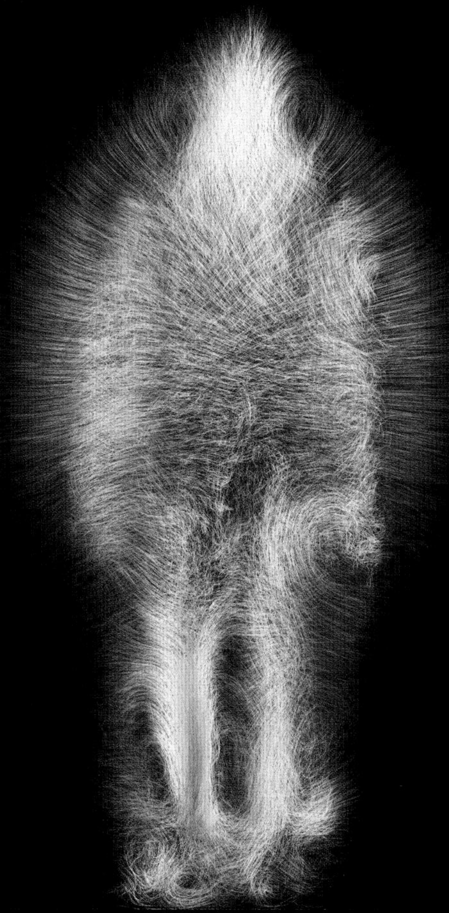

2nd Term

teamLab: Existence in an Infinite Continuity
チームラボ 無限の連続の中の存在〈後期〉

at Himeji City Museum of Art, 2023

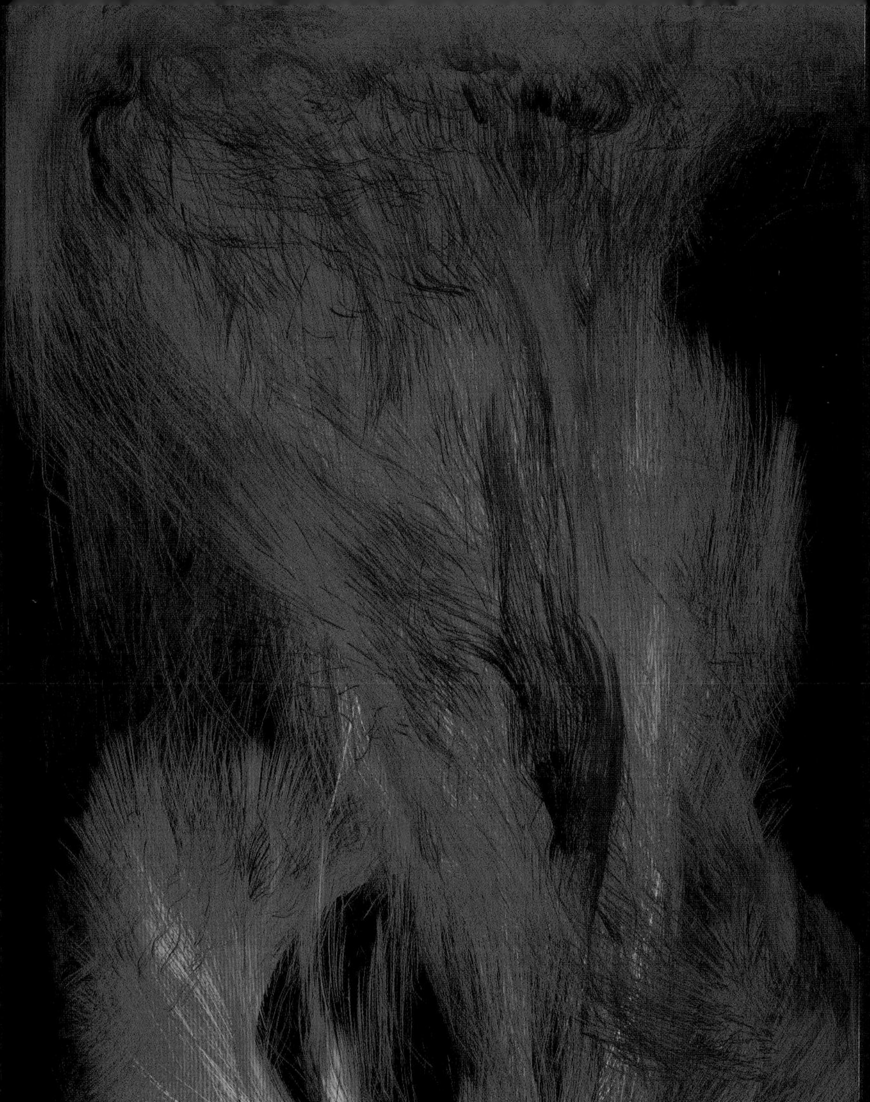

Universe of Fire Particles

憑依する炎

teamLab: Existence in an Infinite Continuity <2nd Term>
at Himeji City Museum of Art, 2023
teamLab, 2021, Digital Work, Single channel,
Continuous Loop

炎は、黒い絶対的な存在によって、形が変化していく。

炎は、燃焼することによって発生する光や熱の現象であり、流れの中にある気化した物質や分解された物質でもあり、現象と物質の狭間を見る時の私たちの感覚的な経験である。人々は、感覚的な経験である炎をひとつの物体のように認識し、時にはそこに生命を感じる。

燃焼する気体の流れによって、空間上に線を描き、その線の立体的な集合で炎をつくり、チームラボが考える「超主観空間」によって平面化し、炎を描いた。

チームラボは、「Distributed Art」という概念を模索している。
《Distributed Fire》のアプリを持って作品の炎に近づくと、スマートフォンに炎がともり、作品を持ち帰ることができる。その持ち帰った炎を、他の人のスマートフォンに近づけると、同じように炎がともる。炎を誰かにつなげ、その炎がまた他の誰かにつながっていくことで、炎は、世界中に広がっていく。広がっていく炎群全体は、炎地図に描かれていく。

Distributed Artにおいて、ある作品は自らを複製し、ある作品はその一部を人々に分ける。人々の手に渡った作品は、また、自ら複製を生成し、人々が能動的に分散していく。作品は、人々のネットワーク上に分散して存在し、分権型のアートになっていくだろう。作品は、ネットワーク上に存在する時、オリジナルが消滅しても存在し続ける。（teamLab）

Flutter of Butterflies, Ephemeral Life

群蝶、儚い命

teamLab: Existence in an Infinite Continuity <2nd Term>
at Himeji City Museum of Art, 2023
teamLab, 2020, Interactive Digital Installation, Endless,
Sound: Hideaki Takahashi

「群蝶図」。この空間に人々が誰も入らなければ、この空間は、真っ暗で何も存在しない。人々がこの空間の中に入り、じっと静かにした時、群蝶は人々の足元と壁に触れた手から生まれ、空間の中を舞う。群蝶は、人々が触れると死んでいく。

　作品は、コンピュータプログラムによってリアルタイムで描かれ続けている。あらかじめ記録された映像を再生しているわけではない。全体として、以前の状態が複製されることなく、人々のふるまいの影響を受けながら、永遠に変化し続ける。今この瞬間の絵は二度と見ることができない。（teamLab）

Continuous Life and Death

連続する生と死

teamLab: Existence in an Infinite Continuity <2nd Term>
at Himeji City Museum of Art, 2023
teamLab, 2023, Interactive Digital Installation, Endless,
Sound: Hideaki Takahashi

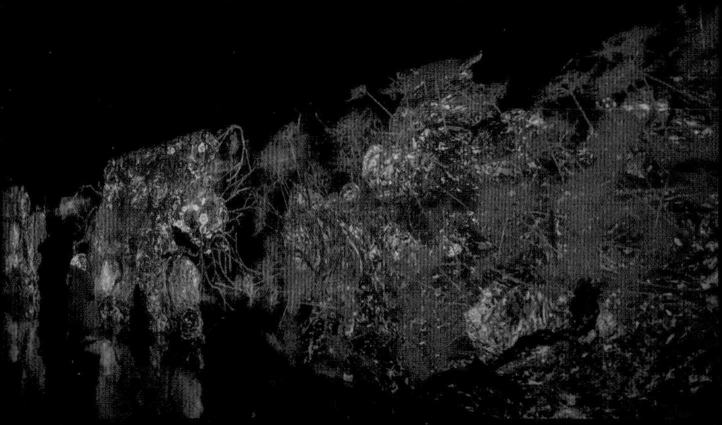

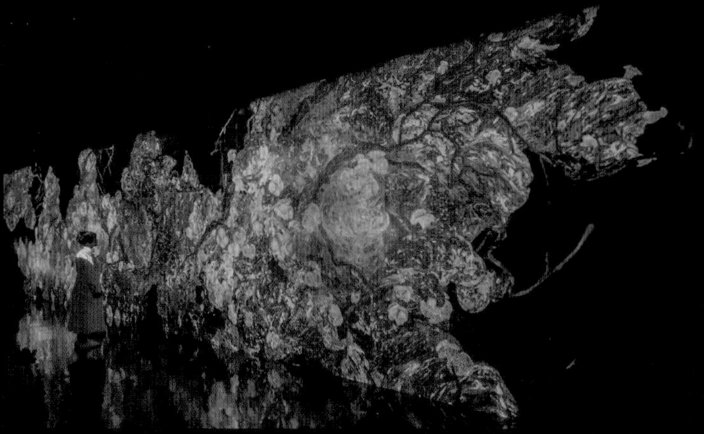

空間には複数の季節が同時に存在し、それらがゆっくりと移り変わっていく。花々は、移り変わっていく季節に合わせて、生まれる場所が移り変わっていく。花々は、誕生と死滅を永遠に繰り返していく。人々が触れると花々は散っていき、じっと触り続けると花々は普段より多く生まれる。

現実の同じ時間の流れで、この場所の日の出とともに作品世界も明るくなり、日の入りとともに暗くなっていく。

鑑賞者の身体の時間、この場所の時間、花の生死が繰り返されていく時間、それぞれの異なる時間が、身体、場所、そして作品世界に接続したまま、交差し重なり合う。作品空間は、異なる時空が重なり合う。

作品は、コンピュータプログラムによってリアルタイムで描かれ続けている。あらかじめ記録された映像を再生しているわけではない。全体として以前の状態が複製されることなく、人々のふるまいの影響を受けながら、永遠に変化し続ける。今この瞬間の絵は二度と見ることができない。（teamLab）

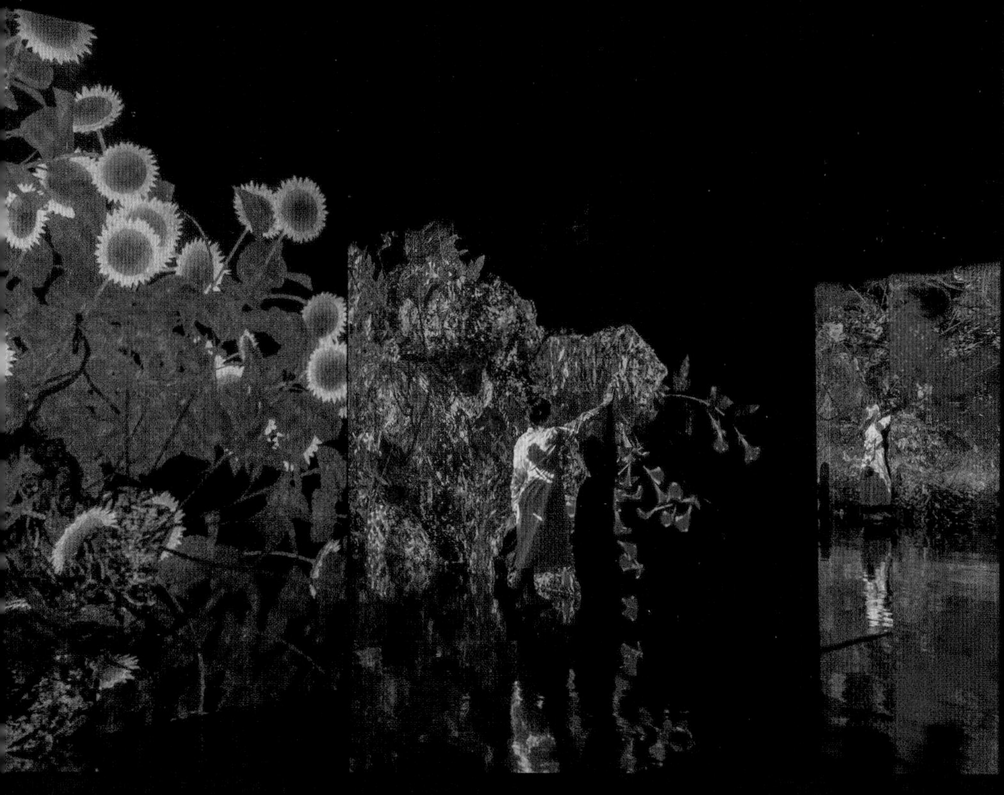

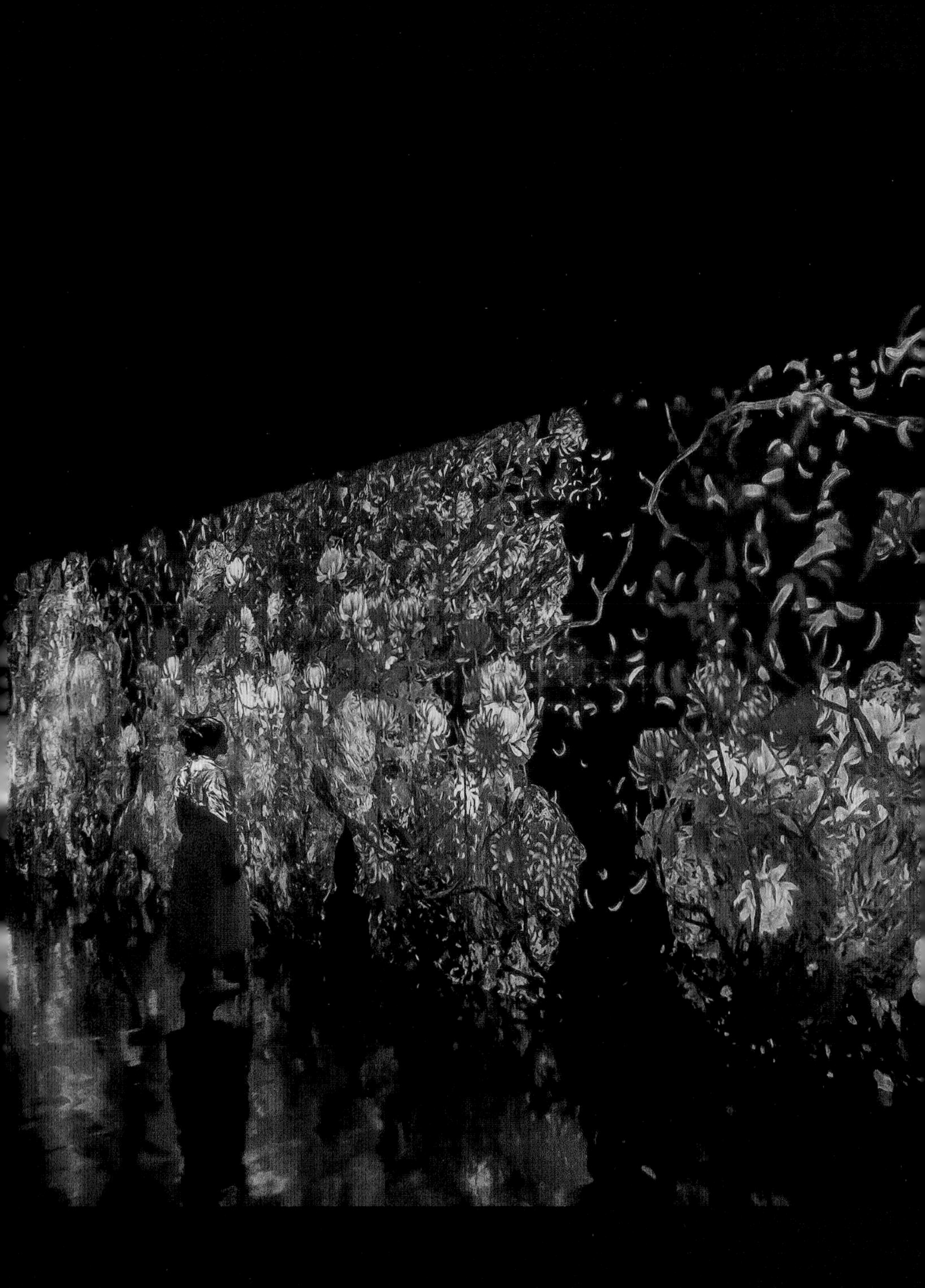

Dissipative Figures – 1000 Birds, Light in Dark

Dissipative Figures – 1000 Birds, Light in Dark

teamLab: Existence in an Infinite Continuity <2nd Term>
at Himeji City Museum of Art, 2023
teamLab, 2023, Digital Installation, Continuous loop,
Sound: Hideaki Takahashi

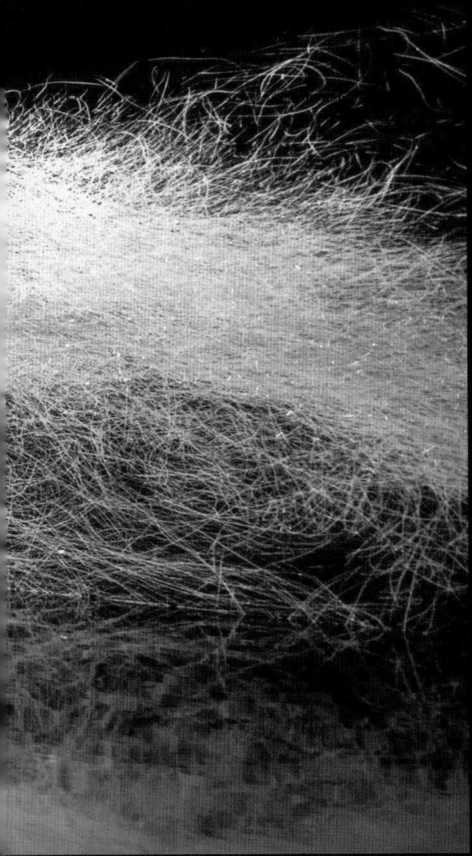

生命の存在の輪郭は、肉体の境界面ではなく、それらと連続する環境も含めた、曖昧なものである。
生命は生きている限り、エネルギーを散逸し、空気などの環境を動かしていく。
この作品は、鳥の群れが世界に与えたエネルギーで、鳥の群れの存在を描いている。

私という存在は、心と体とそれらと連続する環境である。

石ころや、これまで人間がつくってきたものは、それ自体で安定的な構造をもつ。
しかし、生命は違う。石ころは、外界から遮断され密封された箱に入れても存在し続けるが、生命は、そのような閉じた箱に入れられると存在を維持できない。

生命は、海に生まれる渦のようなものである。
渦は、流れの中にある存在であり、その存在の境界は曖昧である。

実際、渦は定常しているが、うごめき続け、力強い一つの生命のように見える。
渦は、それ自体で安定した自らの構造を保っているものではなく、渦の外部から内部へ、そして内部から外部へと流れ続ける水によってつくられ、その流れによって渦の構造は維持され続ける。

生命も、外部から食物として物質とエネルギーを取り込み、物質を排出し、エネルギーを外に散逸させながら、秩序構造をつくりあげている。つまり、生命の構造は、そのもの自体ではなく、それらと連続する環境によってつくられている。

生命は、開いた世界の中で、流れの中に生まれる奇跡的な現象であり、海の渦と同じように、その存在の境界が曖昧な、無限の連続の中の存在である。

生きているということは、世界へエネルギーを散逸し続け、世界と連続しているということなのだ。(teamLab)

MATTER
IS

Matter is Void – Fog

Matter is Void – Fog

teamLab: Existence in an Infinite Continuity <2nd Term>
at Himeji City Museum of Art, 2023
teamLab, 2022, Digital Work, Endless

チームラボは、《Matter is Void》を通して、所有とはなにかを模索する。

この作品は、NFT 作品である。この作品の NFT は 1 つだけだが、NFT によって作品の唯一性は付与されない。作品自体は誰でもダウンロードし、何人でも所有することができる。つまり、NFT を所有していようがしてなかろうが、ダウンロードされた作品は、何も区別することができないし、全て本物である。

この作品は、チームラボによって「Matter is Void」と書かれている。しかし、この作品の NFT 所有者は、作品内の言葉を自由に書き換えられる。NFT 所有者が言葉を書き換えると、世界中で所有されている全ての作品が、その言葉に書き変わる。

そして、NFT 所有者の言葉により、作品の価値が変化するだけでなく、その言葉に価値があれば、作品を所有する人は増え、その言葉に価値がなければ、作品を飾る人はいなくなるだろう。多くの人が見ている作品を書き変える価値は高いかもしれないが、誰も表示していない作品を書き変える価値は低くなるかもしれない。すなわち、NFT 所有者の言葉によって、この作品の NFT の価値も変化していくだろう。

また、NFT 所有者が他の言葉に書き換えた後、再び「Matter is Void」に戻しても、異なる表現の文字となる。つまり、最初の「Matter is Void」は、一度変更されれば、同じ状態ではもう二度と見ることができない。

書かれた言葉の文字は、公転と自転を続ける。回転し続ける文字は、再び、文字として認識できない意味のないものとなる。文字の公転は、視覚的には、左回転も右回転も同等であり、どちらかの方向の回転を意識するかによって、左回りにも、右回りにもなる。（teamLab）

Engyoji

teamLab: Existence in Perception - Engyoji Temple

チームラボ 圓教寺 認知上の存在

at Engyoji Temple, 2023

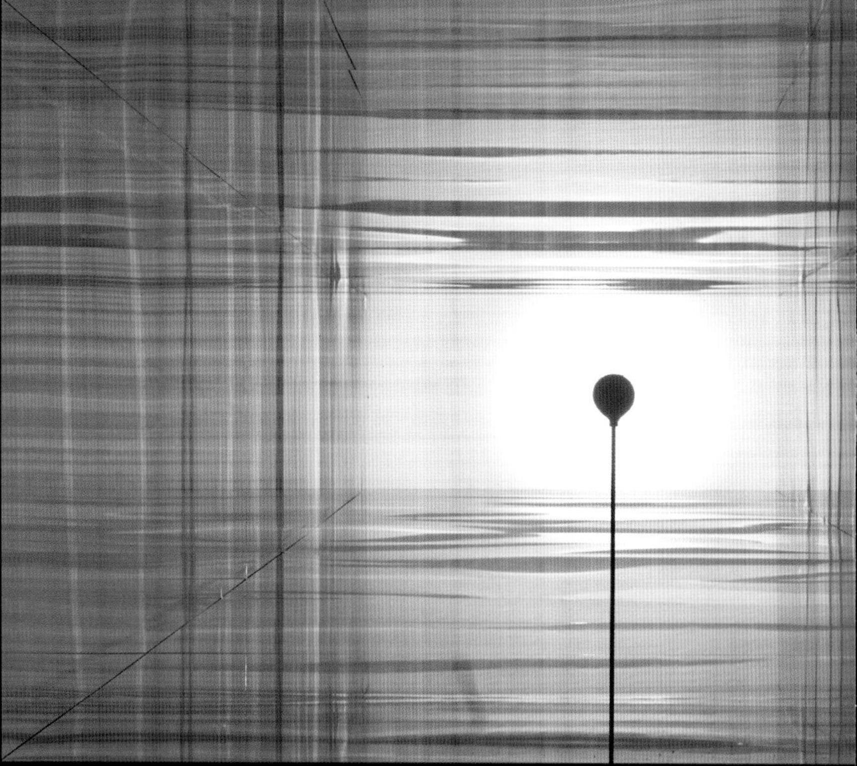

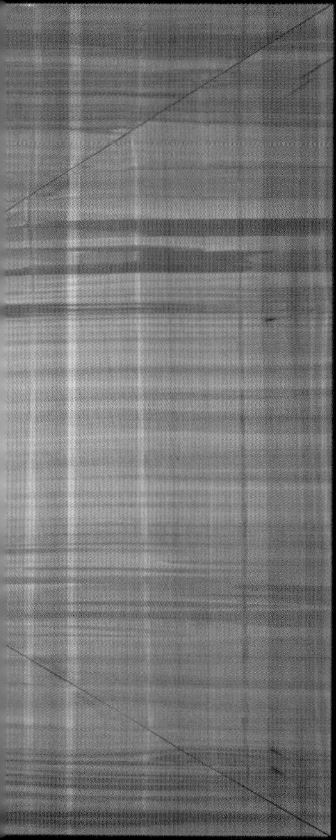

Massless Sun, Distorted Space

質量のない太陽、歪んだ空間

teamLab: Existence in Perception
at Engyoji Temple, 2023
teamLab, 2023, Digital Installation, Endless,
Sound: Hideaki Takahashi

光の球体。

光の球体は、光が凝固してできたかのような光だけでできた塊として、空間上にはっきりと知覚されるにも関わらず、物質的な境界面はない。球体と身体との境界の認識は曖昧である。

この宇宙では、光は凝固せず、光だけの塊は存在しない。つまり、この光の球体は、あなたの認知上に存在する。

そして、作品はそれ自体では存在できず、環境がつくる現象が、作品の存在である。

存在とは何かを問う。（teamLab）

Giant Solidified Spark

我々の中にある巨大火花

teamLab: Existence in Perception
at Engyoji Temple, 2023
teamLab, 2022, Interactive Digital Installation,
Sound: teamLab

　私たちは、見ている世界を認知しているのではない。私たちは、認知している世界を見ている。

　無数の線の集合による球体。
　細い光の線は、中心から放射状に無数に広がり、球体を形作る。光源は動かないが、無数の線はうごめき続ける。

　球体には境界面がなく、作品と身体との境界の認識は曖昧である。球体に触れようとすると、球体は反応するが、物理的な境界面はないため、手は球体の中に入る。

　この球体は、何か？　線はなぜうごめくのか？
　我々の世界は、我々の中にあるのだ。

　そして、この線群の球体を認知した後、認知している世界は広がり、世界中のいたるところでこの線群の球体を見ることになるだろう。
（teamLab）

CONTENTS

Contribution 論　考

Dialogue 対　談

Commentary 解　説

Materials 資　料

凡例

1．本書は、チームラボによる次の展覧会に関連して発行された。

「チームラボ 圓教寺 認知上の存在」

会期：2023年4月29日-12月3日

会場：書寫山圓教寺 三之堂 食堂

主催：書寫山圓教寺・姫路市立美術館

「チームラボ 無限の連続の中の存在」

会期：<前期> 2023年 7月22日-10月9日

<後期> 2023年10月21日-2024年1月21日

会場：姫路市立美術館

主催：姫路市立美術館

＊姫路市主要施策「オールひめじ・アーツ＆ライフ・プロジェクト」（実施年度：2021～2024年度）2023年度事業として上記展覧会は開催された。同プロジェクトは、日比野克彦、杉本博司、中谷芙二子、チームラボ、隈研吾をコア・アーティストとして招聘し、姫路の有形無形の文化資源を再発見・再創造する、4カ年にわたるプロジェクトである。

2．作品情報は、タイトル（日本語）、タイトル（英語）、クレジットの順に記載した。なお、タイトルが英語のみで、日本語タイトルがないものは、英語のみを記載している。

＊クレジットには、作家名、制作年、インスタレーション方法等が含まれる。

3．作品名は、チームラボ及び西洋美術作品については《》、日本美術作品については「」で示している。

対談　Dialogue

INOKO Toshiyuki ↔ KUMA Kengo

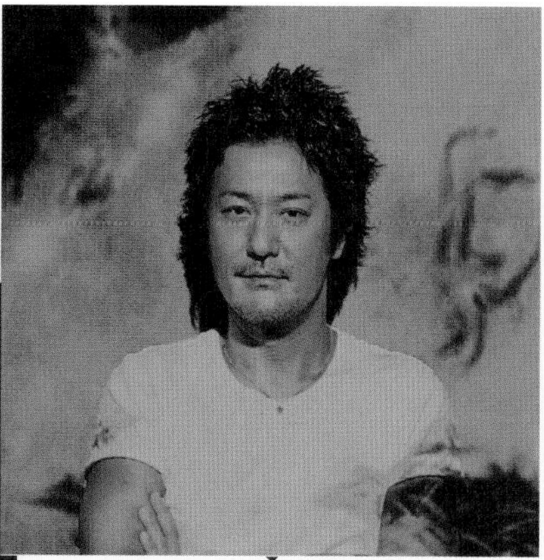

▶猪子寿之　INOKO Toshiyuki

チームラボ代表。1977年生まれ。2001年東京大学計数工学科卒業時にチームラボ設立。チームラボは、アートコレクティブであり、集団的創造によって、アート、サイエンス、テクノロジー、デザイン、そして自然界の交差点を模索している、国際的な学際的集団。アーティスト、プログラマ、エンジニア、CGアニメーター、数学者、建築家など、様々な分野のスペシャリストから構成されている。

▶隈 研吾　KUMA Kengo

1954年生まれ。東京大学大学院建築学専攻修了。東京大学教授を経て、東京大学特別教授・名誉教授。1964年東京オリンピック時に見た丹下健三の代々木屋内競技場に衝撃を受け、幼少期より建築家を目指す。大学では、原広司、内田祥哉に師事し、大学院時代に、アフリカのサハラ砂漠を横断し、集落の調査を行い、集落の美と力にめざめる。コロンビア大学客員研究員を経て、1990年、隈研吾建築都市設計事務所を設立。日本建築学会賞、フィンランドより国際木の建築賞、イタリアより国際石の建築賞、他、国内外で様々な賞を受けている。その土地の環境、文化に溶け込む建築を目指し、ヒューマンスケールのやさしく、やわらかなデザインを提案している。また、コンクリートや鉄に代わる新しい素材の探求を通じて、工業化社会の後の建築のあり方を追求している。現在、40を超える国々でプロジェクトが進行中。

猪子　隈さん、今日はチームラボのスタジオまでお越しいただき光栄です。以前は「Pace Gallery（ペース・ギャラリー）」での展示も観ていただいて、ありがとうございました。

　僕、少し前にデンマークに行ったんですよ。そうしたら、コペンハーゲンの空港にでっかく隈さんの作品の写真が飾られていて。「KENGO KUMA」って大きく表示されていました。

隈　本当？　知らなかったな。ハンス・クリスチャン・アンデルセン美術館とデンマーク・ウォーターカルチャーセンター、どっちの写真でした？

猪子　アンデルセン美術館です。たぶんデンマーク政府が、国を代表する名所をいくつか選んで飾っているのだと思うんですが。ほんとに、どこに行っても隈さんの作品がありますよね。

隈　いやいや、チームラボこそ。アート関係の人はみんな意識しているよね。

猪子　今日はせっかくなので、作品を実際に見ていただきながら順を追って、僕たちがやろうとしてきたことをお伝えしてもいいですか。

　チームラボは2001年の頭に始めたんです。最初はアートで食えるとは思っていなかったので、テクノロジーを企業に提供しながら、アートをつくっていました。それは今も続いています。

超主観空間の変容と進化

猪子　「世界は境界がなくて連続している」にもかかわらず、認知上分断してしまうこと、特に、レンズで見ると、自分の身体がある世界と見ている世界が分断されることに以前から興味がありました。レンズは、時間を持つ空間の平面化の論理的な方法論の一つだと考え、レンズとは違った、時間を持つ空間の平面化の論理を模索し始めました。

レンズを通して映像を撮ると、表示される面が境界になって、境界の向こうにレンズで切り取った空間が出現しますよね。そして、視点が固定されて無自覚に身体を失ってしまう。本来、人間の視野ってもっと広く、視点とフォーカスは非常に動き回るんですけど、レンズで撮った世界はフォーカスが１点で動かないため、視野が狭くなり、意志を失います。例えばテレビの前にソファがあるのは、もしくは映画館に椅子があるのは、レンズで撮った映像だからです。そういったレンズ越しの世界とは違って、身体と切り取った世界が曖昧に連続し、視点が自由に移動できるため歩きながら見ることができ、フォーカスが無限にあることによって、視野が広がり意志を失わない空間の平面化の論理を模索しはじめたのが、チームラボのスタートなんです。その平面化の論理を構築して、平面化したものを僕たちは「超主観空間」と呼んでいます。論理を構築することは重要です。それによって、平面化する空間は、時間を持ち、動的な変化が可能になり、人々の存在によって動的に変化する絵画を描くことができるからです。

わかりやすい作品があるので見ていただけますか。これは《生命は生命の力で生きている II 》(004 頁参照)という作品で、コンピュータ上で３次元空間に立体物として作っています。レンズで、または遠近法で平面化した場合は、ディスプレイが境界面となって、ディスプレイの向こう側に空間と立体物が出現するんですけど、これは立体物の存在がディスプレイの手前なのか奥なのかわからない。境界面があいまいでこちら側に連続しているっていうか。

隈　うん、わかるわかる。まさにそうだよね。

猪子　実はこの作品は最近のものなんです。同じことをめざして制作した初期の作品よりも、境界面があいまいであることがわかりやすくなった理由は明白で、このディスプレイは8Kなんです。8Kまでいくとドットが小さくて、20年前はドットが大きくて物質的にドットが見えてしまうので、どうしてもその物質が勝っちゃってたんです。理論上は境界面がないはずなのに実際は境界面あるよなぁと思いながら、ずっと続けていました。このシリーズがスタートです。

隈　確かに、20年前だとそうだよね（笑）
　それは建築の世界でも言えることで、何が建築における8K以降か、みたいなことを考えると、コンクリートと鉄の時代には超えていけなかった。ドットが荒いディスプレイと一緒で、没入できないんだよね。それに対してもっと違う、柔らかい素材みたいなものとか、光そのものをコントロールするみたいなことをやると建築でも8Kを超えていけるんじゃないかという模索を、僕もずっとしてきたんだ。

猪子　このシリーズではディスプレイの物質的な壁があったので、制作を続けながら、平面化をせずに、物質的じゃないもので動的な立体物をつくることを始めました。Light Sculptureのシリーズ（2013–）です。これは《The Infinite Crystal Universe》（次頁参照）という作品で、光のドットで動的な3次元の立体物をつくろうと思って始めたものです。人々の存在によって変化する立体の中に、身体ごと入り、身体と連続的で一体となるものをつくりたいと考えました。

隈　これはどこでやったの？

猪子　これは豊洲にある「チームラボプラネッツ」など巨大な空間が使える常設展示の場所ですね。「チームラボプラネッツ」にはこういった大きな作品に身体ごと没入し、身体によって作品は変化し、身体と作品が一体となるような作品を集めているんです。もうひとつ、豊洲で展

《The Infinite Crystal Universe》 teamLab, 2018, Interactive Light Sculpture, LED, Endless, Sound: teamLab

示している作品を見てください。

　これは《Floating Flower Garden：花と我と同根、庭と我と一体》（次頁参照）という作品で、本物のランの花で埋め尽くされているんですけど、自分がいるところだけ花の密度が下がって入り込めるんです。

隈　おお、生きた花なんだね。

猪子　はい。これらのランはもともと土がない木の上などで空中に根をおろし生きるので、空中に生えるんです。空間がぎっしりランで埋まっていて、絶対入れない密度なんですけど、人のいるところだけランが上に上がり、通り過ぎた場所はランが下がって埋まっていくので、ランが生えてできた立体の中に、身体ごと没入して一体となります。

これらの作品は、2009年のteamLabBallからはじめるのですが、「作品の構成要素が空間的、時間的に離れていても、つまり、自由移動したり、動的だったとしても、光の連続性など全体の連続性や振る舞いなど、秩序が形成された時、一つの存在として認識される。そして、構成要素の物理的位置は自由になり、作品の存在の境界面は、身体と曖昧になっていく」という考えです。そのような考えで、動的な立体物、境界面が曖昧な彫刻を作っていきました。また、水や霧、泡など、そもそも物体の構成要素が自由移動するものを使って作品をつくり始めました。それらは、構成要素が自由移動するので、身体と境界面が曖昧なのです。そのうち、物理世界には存在しないが鑑賞者の身体と認識が形づくる、「認識上の彫刻」と我々が呼ぶ、鑑賞者の認識世界に出現する立体物に模索が拡張されていきました。物質が存在しなけ

《Floating Flower Garden: 花と我と同根、庭と我と一体 / Floating Flower Garden: Flowers and I are of the Same Root, the Garden and I are One》 teamLab, 2015, Interactive Kinetic Installation, Endless, Sound: Hideaki Takahashi

れば、そもそも身体との境界面とかがないわけですから。

隈　なるほど。それはどういう作品になってるの？

猪子　違う部屋へ移動しますね。暗いので気をつけてください。
これはいま、兵庫県姫路市にある書寫山圓教寺《しょしゃざんえんぎょうじ》で開催している「チームラボ 圓教寺 認知上の存在」で展示している《我々の中にある巨大火花》（044頁参照）です。
　中心から放射状の非常に細くて赤い線による球体があると思うんですが、一度認識すると、球体はだんだん大きくなっていき、直径2.5メートルの球体が空間にあるように見えないですか。

隈　うん、見える。

猪子　光が線として固まるわけないんです。だから、こんなものは存在しない。存在したら、光の原理原則が崩壊します。実際は、この線の集合の球体は、目の中にできている。物理世界には実在していない。だから手をつっこんでも何もない。

隈　本当だね。何もない。それに、近くで見ると線がうごめいているようにも見えるね。

猪子　はい。それは人間の目が、どうしても動くからなんです。だから見え方にも個人差がちょっとあって、メガネの人は裸眼の人とは違うように見えてしまいます。
　これは写真で撮ろうとしても写らない、認知世界にだけ存在する彫刻です。認知上存在すれば、それはもう人間にとっては……

隈　実在だよね。

環境がつくる存在、環境現象

猪子　チームラボは、「全ては連続の中に存在する。そして、連続していることそのものが美しい。」と考えています。そして、生命という存在は、まさに、連続する流れの中に存在するもの。散逸《さんいつ》構造です。

隈　えっ、散逸構造？　プリゴジンの？

猪子　はい。20世紀後半にノーベル賞を受賞した物理学者、イリヤ・プリゴジンの理論です。

　石ころっていうのはそれ自体が安定した構造を持っているから、密閉された箱の中に入れても石ころのままです。でも、生命って、例えば僕が箱の中に密閉されたら2カ月後にはどろどろになってるはずで。僕が僕でいるためには、食事をして排泄をして、運動エネルギーや熱エネルギーを放出して、物質とエネルギーの流れがなくちゃいけない。連続するエネルギーと物質の流れが構造を定常させているんです。海にできる渦と同じです。渦は渦の外部から内部へ、そして内部から外部へと流れ続ける水によってつくられ、渦という存在が定常している。つまり、外部環境が渦や生命の存在を定常させているわけです。

隈　散逸構造って僕が学生だった頃に出てきた理論で、いろいろなエネルギー、もしくは光なんかが絶えず出入りしているダイナミックな状態のなかでも平衡状態が成立しているという考え方。静的な平衡状態と対比して、動的平衡という言葉で散逸構造を解釈する人もいるよね。当時からもちろん画期的な理論で、それまでの秩序や構造に関する考え方を変えていくようなヒントになるんじゃないかという直感があって、僕もすごく興味があった。建築はそもそも物質の構造式ともいえるわけで、古代ギリシャの数学が発明した構造がヨーロッパのすべての建築のベースになっている。そんな古い時代の構造概念をつきやぶりたくて、プリゴジンにひかれたんだよね。そのときの70～80年代のテクノロジーでは、どうやったら散逸構造の実際の物質化にたどり着けるかなんていうことは全然想像もできなかった。現代のテクノロジーで、猪子さんみたいなクリエイティブな人が8Kの世界を手に入れたら、散逸構造が実際につくれることがわかってきたということなんだよね。僕が学生時代にもやもやと考えていたことを、40年後にここで猪子さんから聞けるということがパラレルな感じがするな。そう考えると、建築でダイナミックな構造を作ろうとした場合も同じで、現代の材料やコンピュータによる計算を駆使し、ある種の建築の解像度のようなものを上げていくと、散逸構造を実空間で実現することができるのかもしれない。僕がやろうとしていることは、それに近いかもしれない。

猪子　人間って歴史上ずっと、石ころと同じように自ら安定した構造を持つものばっかりつくり続けてきたと思うんです。だから、環境が存在を生み、環境が存在の構造を維持するようなものをつくっているんです。僕らはこの考えを「環境現象」と呼んでいます。これまで存在の構造を担っていた物質から解放され、日常的にありふれた空気や水、光なども、環境によって特異な現象となり、その現象が存在になると考えています。そして、その存在の境界は曖昧で連続的です。人が作品を壊したとしても、環境が維持される限り、作品の存在が維持されます。逆に、環境が維持されない時、作品は、消えてなくなってしまいます。

隈　そういえば、Paceでやってた太陽みたいな作品も環境がつくったひとつの現象を作品だと呼んでるわけだよね。あれはどういう原理なの？

猪子　光の塊みたいに見えるやつですよね。特殊な環境があの存在をつくっています。そして、認知世界に出現した認知上の存在です。だから「環境現象」でもあり「認識上の彫刻」でもあります。

周辺に対して連続的で曖昧な存在の輪郭

猪子　次はこの動画を見ていただけますか。《風の中の散逸する鳥の彫刻群》（次頁参照）です。

隈　これ、ゴッホみたいだよね。

猪子　鳥が飛ぶと、近くの空気が動くのですが、それは、鳥の運動エネルギーが周辺に散らかっていくことを意味します。この作品は、近くを飛んでいる鳥から散らかっていくエネルギーを描いています。

隈　鳥の動きでつくられてるの？　リアルタイムに？

猪子　そうです、この場所に鳥が飛んでいて、リアルタイムで動きをとっているんです。そのために、この周りに一生懸命木を植えて。虫がいっぱい集まると鳥が来てくれるので、虫が集まる木を選んで植えて(笑)。ここは大阪の長居植物園という大きな植物園で、閉館後はチームラボの夜の野外ミュージアムになります。

隈　本当だ、動画をよく見ると鳥が飛んでいるのが見えるね。

猪子　これと同じシリーズの作品を今、姫路市立美術館で展示させてもらっています。こっちは人間が歩く動きをCG上でシミュレーションしているんですけど。《Dissipative Figures – Human,Light in Dark》（021頁参照）という作品です。

隈　Paceにもあったね。

《風の中の散逸する鳥の彫刻群 / Sculptures of Dissipative Birds in the Wind》
teamLab, 2022, Interactive Digital Installation, Raised earth, Birds, Wind, Flora, H7300 mm W11550 mm (left), H7610 mm W111820 mm (center), H7670 mm W12300 mm (right), Sound: Hideaki Takahashi

猪子　そうでした、Pace で観ていただいていましたね。これ、人間が歩いているように認識できると思うんですけど、実際は空気の動きだけを描いていて、人間自体は描いていないんです。生命って物質上は輪郭がありますけど、存在の輪郭って本来はあいまいなはずなので、それを空気の動きで表現しています。だから、さきほどの鳥の作品と一緒ですね。

環境現象は私有できない

猪子　この《質量のない雲、彫刻と生命の間》（061 頁参照）という作品はいま、マイアミ、北京で展示しているものです。ただの泡なんですけど、特殊な環境をつくることで泡の海から大きな白い塊が生まれはじめて、浮き上がっていきます。この泡の塊は天井まで上がりきらずに、空間の中ほどを浮遊しながら時に千切れて小さくなったり、他の泡とくっついて大きくなったりしながら存在します。

隈　これは触ることができる現象なの？

猪子　はい、これは泡でできているので、身体ごと塊の中に入っていくこともできるし、手で触ると壊れます。面白いのは、この塊は壊れても自己修復していくんです。みるみるうちに傷が治り、形と状態が維持されます。

隈　壊しても直るんだ。

猪子　だけどこれは環境が維持されているからこそ出現するものなので、環境が維持されなくなれば、散り散りの泡に戻ってしまいます。それに実は、これも生命と一緒でやっぱり寿命があって、現状、環境が維持された状態でも30分くらいしかもたないんです。

隈　えっ、そうなの？　30分経つとどうするの？

猪子　壊れてなくなるのを待って、新しい泡の海をつくることで新たな塊が生まれます。似てますよね、生命と。永遠じゃないんです。

隈　なるほど、面白い。すぐになくなる作品ってすごくいいね。
　アートって本来はもっと自由に世界を見て、世界と人間との関係について介入すべきものなのに、実際はすごく限定された世界の見方しかしていないことがずっと気になってた。今までの価値観っていうのは、結局、作品っていう“ブツ”を売買するみたいなところがあって。“ブツ”として取引できないもの、私有できないものはアートの枠組

《質量のない雲、彫刻と生命の間 / Massless Clouds Between Sculpture and Life》
teamLab, 2020, Interactive Installation, Sound: teamLab

みから外れてしまってたんだよね。それは建築も同じで、売買可能な郊外住宅をデザインするという経済モデルで、建築家は飯をくってた。モダニズムの巨匠といわれたコルビュジエやミースが、この「商品としての建築」というモデルを発明したともいえる。だからこそ永劫性っていうモデルに、アートもしばられてたわけです。20世紀の資本主義の「商品」というところが必須条件だった。なにしろ「商品」の価値の基本は、永続性だから。

チームラボの作品みたいに無限に複製できて、どこにでも存在し得るみたいな世界のものっていうのは、今までのアートの世界にはハマらなくて、私有できないのにどうするのって思う人がまだたくさんいると思う。猪子さんはその大原則に挑戦している気がして、すごく面白いよね。

猪子　チームラボが切り開いたことの一つで、“ブツ”の取引とは無関係な存在として、自分たちで作品をつくって、場もつくって、その空間を体験してもらう。そうすると、売るとか、所有とかがない世界に行けた。それが相当よかったです。他人に所有権がうつらないっていうのは、創作がとても自由になる。

隈　そうなんだよね。所有権を渡すって大変なんだよ。そういうことを考えだすとめんどくさいから、自分たちで楽しんでいればいいというところにもうチームラボは来ていて、その楽しんだものの結果をマネタイズしていく。そのある種のお気楽さはすごくいいよね。

猪子　突き詰めてしまえば、明日作品が壊れてもいいっていうか。

隈　その感覚が大事で、さっきの泡が壊れるというのがやっぱり一番新鮮だった。猪子的感性が象徴されてた。これまでのアートの世界だったら、もちろん建築の世界も同じだけど、買ったはずのものが明日壊れてなくなっていたら大問題だという、20世紀の資本主義流の考え方を超えていかないと、人間の新しいライフスタイルはやってこないし、アートも建築も変われないと僕は思う。

“没入感をデザインする”という共通性

隈　今日、猪子さんからチームラボのやってきたことを体系的に聞いてすごく面白かったんだけど、まず、猪子さんのスタートは一種の映像というか、面からだった。面でしかない映像の宿命を超えるところに参入した、というのが僕には目からウロコだったね。

僕自身は、あるときから映像に興味がなくなったんだ。それは建築をやりはじめたからで、それまでは映画とか結構好きだった。建築って3次元のものだから、2次元の制限を超えていけることに気づいて、建築と比較してしまうと映像ってつまんないなと思いはじめてしまった。建築にはある種の没入感みたいなものが必ずついてくるので、没入感自身をデザインできるからね。要するに形をデザインしてるようにみえて、実は没入感をデザインしてるんだよ。

猪子　はい。よくわかります。

隈　20世紀最初の頃のモダニズムの建築は形をデザインしていて、形で世界を席捲した。結局それは映像に翻訳された形を面白くしていただけだった。没入としての建築の深さがわかってくると映像の限界、うすっぺらさがはっきり見えてくる。そこから猪子さんもスタートしていて、そうすると、実は僕と同じことをめざしているということがよくわかった。ある一つの人間の身体が「何を感じるか」というところを突き詰めてデザインしているんだよね。それを猪子さんも、僕も、少し違う形でやっている。別のテクノロジー、別のメディアを使いながら、同じところを攻めているというところで、猪子さんと僕はすごく共通点があるなと思いました。

猪子　光栄です。ほんとに。

隈　写真に写るものと写らないもの、物質的に存在するものとしないもの、みたいなところを今日わかりやすく普段は見せない舞台裏の話も説明してくれたけど、実は写真に写るか写らないかはどっちでもいいということに今日気づいて、うれしくなった。結局は人間の身体と環境との一種の会話みたいなものをデザインしているわけで、それが写真に写っても写らなくても、それは本質的なことじゃないんだよね。どっちの場合もそこで会話が起こっているわけで、それで充分なんだよね。だから本当は、そこを別物だと分析する必要はないんだよね。

従来のアートの世界ではそこを二分して考えるから、これは認知上騙しているだけだから一種のまやかしじゃないかというつまらないことを考える。まやかしか、まやかしじゃないかという変な倫理観、クソ倫理観みたいなもので分けちゃうところがつまんないよね。猪子さんがそのクソ倫理観を超えているところが、突き抜けた感じがしてよかったと思う。

建築の世界でも、「これ、単なる錯覚を作ってるだけじゃないの？」という、リアルとアンリアルを峻別しようとする人たちがいるけど、僕もそういう倫理観を超えていきたいと思って戦っているから、共通点がたくさん見つかって今日は何度も驚きました。建築では、その対立は、ルネサンスかというディベートの時にすでに始まっていて、錯覚もリアルだとするバロックが、結局豊かな空間を作れたんだよね。これからチームラボがどんなふうに進化していくのか、楽しみにしています。

2023年10月18日
チームラボのスタジオにて対談収録

チームラボへの共感と問い
——生命誌から

▶中村桂子　NAKAMURA Keiko

東京生まれ。生命誌研究者。東京大学理学部化学科、同大学院生物化学博士課程卒。理学博士。三菱化成生命科学研究所部長、早稲田大学教授、東京大学客員教授、大阪大学連携大学院教授。「人間は生きもの」という事実を基本に生命論的世界観を持つ「生命誌」を構想。1993年「JT 生命誌研究館」を創設し 2002 年館長、現在名誉館長。著書に『科学者が人間であること』（岩波新書）、『中村桂子コレクション８巻』（藤原書店）など

チームラボとの出会い

日本科学未来館のテーマや展示について、館長の毛利衛（宇宙飛行士）さんの依頼で、相談役の一人をしておりました。科学の現状を知り、そのあり方を考えながら、それを多くの人に伝える方法を探す役割です。そこで、科学はすぐに啓蒙と言うけれど、大事なのは科学者の思いを的確に美しく表現することだと思うという、「生命誌」（注 1）を始めた時の私の気持ちを伝えました。そんなある日、是非観て下さいと言われたのが「チームラボ 踊る！アート展と、学ぶ！未来の遊園地」（2014 年）でした。花が咲き乱れる部屋に入っていくと、私の動きにつれてつぼみが開いたり、花が散ったりします。当時、デジタル技術を駆使した仮想空間で遊ぶという展示が盛んに行われていましたが、どれもが人工空間を見せるものでしたので、花いっぱいという“自然”（実は徹底した人工）

の世界へ誘うところが面白いと思いました。《花と人、コントロールできないけれども共に生きる、そして永久に》（注2）という題には、花は生まれたり死んだりをくり返す生きものの世界に存在するものであること、それは人間との関わりをもつけれど決して人間の思い通りになるものではないことという意味がこめられています。徹底してデジタルの世界を通して自然を考えようとする新しい動きは面白い、生命誌で考えている表現につながると思いながら、その日の見学を終えたことを思い出します。

それからの10年間――デジタル社会に向き合う

それから10年という時間が流れたところで、思いがけず姫路市立美術館での展覧会「無限の連続の中の存在」開催を機に、チームラボについて思うところを書くようにという依頼を受けました。
「生命誌」として、生きものについて考え続ける日々に変わりはないのですが、デジタル技術との関わりは確実に増えた10年です。ゲノム解析の膨大なデータ処理なしでは生命現象は語れない時代になったのです。

日常も変わりました。私は、脳と手の連携なしには新しい発想が生まれず、まず手書きをする根っからのアナログ人間です。それでもこの10年間に、コンピュータと向き合う時間は増えました。朝一番にメールを確かめ、パワーポイントを使ってオンラインで議論をするという便利さはありがたく受け止めています。

とはいえ、目の前にある小さな画面の向こう側の世界を実感はできません。画面が急に思い通り動かなくなった理由が分からず不安になることがしばしばです。人間同士でも、相手の気持ちや行動がすべて理解できると思ってはいませんが、相手が自分と同じ原理で動いているという信頼はあります。ミラー・ニューロンなど脳のはたらきとして共感力の存在が解明されていますから。

近年､魚も鏡に映った自分を自分と分かる自己認識能力を持っており、それが仲間意識を生み出していることが明らかになってきました。共感力は、生きものの世界で長い時間をかけてつくりあげられたものなのです。

生きものとしての私たちの生活は、このように基本は同じという意識によるつながりの中にあります。そこに多くの機械が入り込んできたのが現代ですが、その中でもパソコン、スマホなどのデジタル技術は、生活だけでなく私たち自身の中に入り込んできます。

デジタルとどう向き合い、どうつき合うかが、日常生活と生命誌研究の両方から、私の問題として浮かび上がってきたのがこの10年です。

人間は機械ではない

「生きものとして」物事を理解し、考え、創造し、生きている人間に自ずと生まれる共感は、コンピュータとの間には存在しません。

そのような中で､最近急速に能力を高めてきたAIの存在が「シンギュラリティ」（これから起こり得る技術的特異点）という言葉を生み出しました。人間の力では制御不能の変化が起きて後戻りできないというのです。人間の知性を越えるAIができてAIに支配される社会が、その具体例としてあげられますが、ここには基本的誤りがあるのではないでしょうか。「生きものとしての人間」とデジタル技術の産物であるAIは本質的に違う存在であり、比較に意味はありません。「生命誌」は、「人間は生きものであり自然の一部」という事実をもとに組み立てた総合知であり、「人間は機械ではない」とします。AIが囲碁や将棋などのゲームで人間に勝ち、みごとな文章をつくる生成AIの実用性が高まっても、本質的違いを忘れてはなりません。

改めてチームラボに学ぶ

そこで、デジタル技術を理解し活用しながら、一方で「人間とはなにか」という問いに向き合う必要が出てきました。それを考えたうえで、人間という生きものがデジタル技術を活用し、よりよく生きる道を探すことができれば、これからの生き方が見えてくるでしょう。

そこで、チームラボの活動が重要になります。10年前に《花と人、コントロールできないけれども共に生きる、そして永久に》に出会った時、そのユニークさを感じながら深く考えなかった、その先を見ていきます。

チームラボは、「人間と自然、そして人間である自分と世界との新しい関係を模索したい」という意図をもち、「デジタルテクノロジーは、物質からアートを解放し、境界を越えることを可能にした。私たちは、自分たちと自然の間に、そして自分と世界の間に境界はないと考えている。お互いはお互いの中に存在している。全ては長い長い時の、境界のない生命の連続性のうえに危うく奇跡的に存在する」と宣言します。つまりデジタルテクノロジーのもつ可能性をアートという形で活かすことによって人間、自然、科学、技術という問題を考え、人間のありようを模索するという方法を考え出したのです。21世紀の今、とても重要なことです。

私が「生命誌」として考えたいと思っていることに重なります。もっとも、前述した「人間は機械ではない」という明確な主張を共有しているという保証はありません。けれども今大事なのは、人間・自然・文化（科学・技術・芸術など）について柔軟に考えていくことであり、生命誌から得られたものと関連づけながら何が見えてくるかを探ることは重要であり、学ぶこと大です。

チームラボによる超主観空間の提唱

私たち人間は視覚の動物であり、見ることで空間を認識し、世界をつくっていきます。チームラボの代表である猪子寿之さんは、レンズが捉えた空間を遠近法で描く西欧の近代絵画が私たちの空間認識を狭めていること、それが対象を分断し、細分化する科学の流れと合わさって更に特殊な認識になっていることに疑問をもったとのことです。そして遠近法確立以前のヨーロッパや日本の美術から学ぶことがあることに気づくのです。例えば、日本美術に特有の絵巻物は複数の視点をもち、そこに時間を入れているところに興味を示します。

ここで、生命誌の基本的視点を示すための表現として描いた「生命誌絵巻」を紹介させて下さい（図1）。扇の天に描いたのは多様な生物です。ところでこれらはすべてDNAをゲノムとして持つ細胞から成るという完全な共通性を持っています。それは、全生物が40億年ほど前に海中にいた祖先細胞から進化したからなのです。多様でありながら共通性をもつのが生きものであり、キノコ、ヒマワリ、ゴリラ……すべてが40億年の歴史をもって現存しているのです。相互に上下も優劣もなく、それぞれが独自の存在です。それぞれの生きものの細胞に入っているDNA（ゲノム）には、進化の歴史が書き込まれており、それを解析すれば、40億年の生きものたちの歴史物語、つまり生命誌が読めます。進化は英語でEvolution。evolveは絵巻を開くという意味です。まさに生命誌

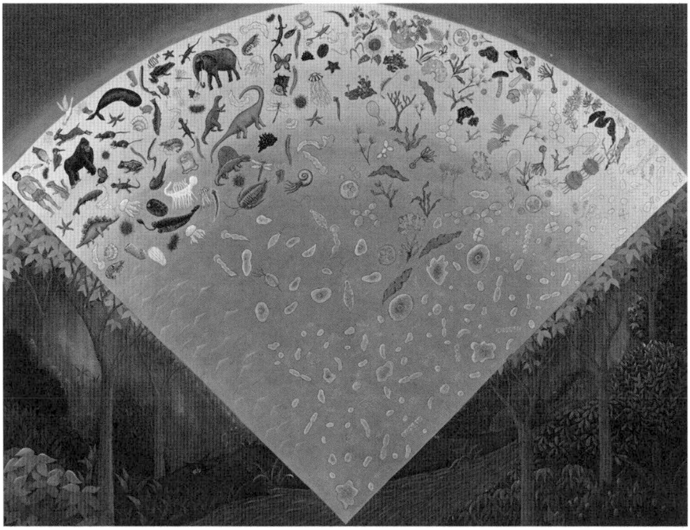

図１　生命誌絵巻　（協力：団まりな　画：橋本律子）

絵巻。ここには長い長い時間とそれによって生まれた多様性の世界があります。いのちあるものを描く時、絵巻はみごとな表現になります。

生命誌絵巻で大事なのは、人間がこの中に存在するということです。現代社会では人間は絵巻の外、しかも扇より上にいると考えています。外から自然を支配する立場です。生物多様性を守るという言葉や自然と人間という時の「と」には、両者を分断するイメージがあります。実は自然の中の人間ですのに。

伊藤若冲の「樹花鳥獣図屏風」のみごとなデジタル画面は時間的にも空間的にも広がりのある絵巻の世界です。それを意識しながら、この作品を踏まえてデジタル技術だからこそ可能になる現代のアートとして生み出したチームラボ作品は興味深く、このような展開は素晴らしいと思います。

ところで、そこでの最大のテーマの一つは「超主観空間」だとあります。すべては連続の中に存在するのであり、人間と自然、自己と他者、生物と無生物などあらゆる境界を越えた時空の中にある自分に出会うことで､新しい視座が得られるという考え方です。現代社会は個を重視し、差別化による自分らしさを求めますので、境界を越えた時空という広がりには大きな意味があります。チームラボが主張したいことはよく分かり、生命誌の立場もそれに近いものです。けれども、生きものそのものを見てきた眼は、境界をないものとしてしまうことに少し疑問を持つのです。見当違いでしたら批判はお受けするとして、建設的に考えてみます。

生きものから見る連続性──多様と開かれた境界

自然界の生きものは、40 億年という長い時間と数千万種という多様性が見せる空間的広がりの中にいます。興味深いことに、現存生物の中で祖先細胞に最も近い姿で生き続けてきているバクテリアと、つい 20 万年ほど前に誕生したホモ・サピエンスという種で、DNA のはたらき方の基本がまったく同じなのです。生きるということを支える基本システムは､40 億年変わっていません。何気なく見ている花や虫たちですが、40 億年変わらず続いてきたシステムはすごい！　と言ってよいのではないでしょうか。｢生命とは何か｣という問いに答えはまだありませんが、生きものの特徴は､まず「続いていくこと」です。40 億年という長い間、同じシステムが続いてきたのですし、これからも続いていくに違いありませんから。そして続くことを支えているのが多様性であることも確かです。生きものの単位である細胞は、最も単純なものでも驚くほど多様な要素（分子など）を持っています。そして細胞が生み出した生命体も多様であることは、地球上の生きもののありようを見れば分かります。
　こうして、多様であることが連続性を支えるということが分かってきました。細胞は膜で囲まれ、独立して存在しますが、この膜は外に対して開かれており、物質、エネルギー、情報などあらゆるものを外から取り入れ、利用し、不用になったものは外へ出しています。自分の領域をもちながら、外とつながっている。つまり境界をもちながら、生きていくためには開かれた境界でなければならないのです。多様というからには区別、そのための境界が必要だが、それはフラットでオープンである。恐らく自然・人間に向き合ったときに見ていること、イメージしていることはチームラボと同じだと思うのですが、生きものにこだわるとフラットでオープンという答えが出ます。

私たち生きものの中の私

　お互いに関わり合いながら続いていくという生きものの世界の基本に、多様性と開かれた境界とがあることを見てきました。そこで気づきます。私は私だけでいることはなく、いつも「私たち」の中にいることに。しかも「私たち生きものの中の私」であることに。私たち人間もアリもタンポポもライオンもカラスも……同じ祖先細胞から生まれ、同じシステムで生きており、お互いに物質・エネルギー・情報をやりとりしてつながっていることは明らかなのですから、まぎれもなく「私たち生きもの」です。人間（ホモ・サピエンス）としての私は、「私たち生きものの中の私」としてしか生きていけません。境界なしではなく、「私たち」としてのつながりです。40億年という長い時間と数千万種という多様性の広がりの中にいる私を考えると、大らかな気持ちになります。私たち生きものが暮らす地球、その地球が一つの星として存在する宇宙の中

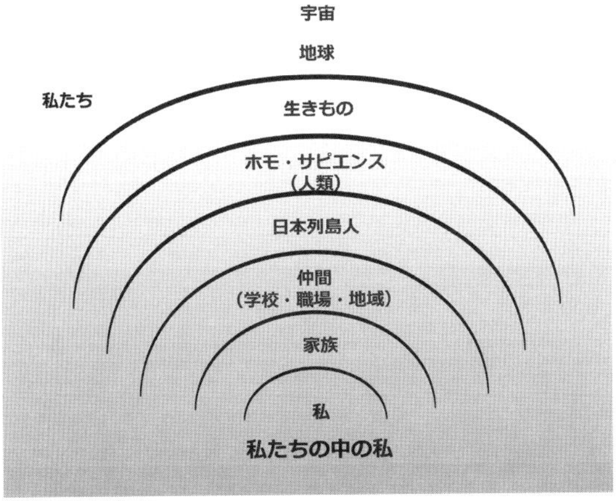

にいる私です。開かれた境界をもつ私の細胞にある元素は、遠い宇宙の果てにも存在しており、どこかの星にある元素が私の細胞にとり込まれることもあるはずです。

多様と違いを認めながら、その多様さゆえに存在し得る連続性を強く意識するという生命誌から生まれてくる実感は、チームラボが具現化しようとしている「超主観空間」で感じるものと同じではないだろうか。考えれば考えるほどそう思えます。「私たち生きものの中の私」は、もちろん「私たち人類の中の私」であり、そこにあるのは原則フラットでオープンな関係です。こんなところで戦争などあり得ないはずなのに……この感覚を失っているのが現代です。

人間という生きものにとっての芸術

「私たち生きもの」ではありますが、生きものにはそれぞれの特徴があります。なかでもホモ・サピエンスは、二足歩行をした結果取得した自由な手、大きな脳、独特な構造をもつ喉などの身体的特徴を活かして、他の生きものとはまったく異なる文化・文明を持っています。7万年ほど前に認知革命が起き、言語や芸術が生まれ、美的価値を創造、表現し始めました。動物園にいるゾウやチンパンジーは絵を描きますし、なかには描くのが大好きな個体もあるとのことですが、野生の動物が絵を描くことはありません。

やはり芸術は人間独自のものなのです。最近南アフリカで発見された格子模様の刻まれた顔料の塊は、73000年前のものとされます。その後、ショーヴェ、アルタミラ、ラスコーなどの洞窟に見られるウマ、バイソン、クマなどの動物が生き生き描かれた壁画は、美しい表現であると同時に、自然との関係、他の生きものたちとの関係を示し、時に祈りや呪術ともつながります。チームラボの作品には、ここにある人間としての本来の表現と重なるものを感じます。このような芸術の意味を考えるにあたって、日本画家の千住博さんの言葉を借ります。

「芸術とは『私たち』のいるこの空間を把握したいという行為です。『芸術に個性は必要ない』と私は言い続けています。必要なのは個性ではなくて、世界認識のための『切り口の独創性』なのです。常に芸術は『私は』ではなく『私たちは』という発想です。『私たち』はどのような世界に生きているか、という『世界表現』が芸術です。多くの方が間違えていますが、『自己表現』ではないのです」

この言葉はそのままチームラボにあてはまるのではないでしょうか。もちろん生命誌にとっての芸術はまさにこれです。「私たち生きもの」の中の「私たち人間」という意識をもっての芸術は、人間らしい生き方を支える基本となります。芸術活動を不要不急とするのはとんでもないことは明らかです。更に千住さんの言葉を借ります。

「人間がお互いを知り、わかり合おうとする行為であり、人間の存在そのものです。そして人々が必要とする提言を含み、共通項を探し出し、それで語り合おうと試みる、人間同士『仲良くやる知恵』を芸術と言います」

近年の研究で、生きものの世界で早くから生まれていたことが明らかになってきた共感力ですが、ホモ・サピエンスはとくにその力が強いとされます。そのうえに他の生きものにはない想像力をもつ私たちの中に芸術は自ずと生まれてきたのです。チームラボの作品は、鑑賞（参加）した人が本来持つ共感力、想像力を顕在化させてくれます。

生きものとしての人間がもつ天然知能

芸術を生み出すには、脳のはたらきが必要です。脳だけ切り離して情報処理機械のように捉える昨今ですが、肝臓や胃腸と同じく脳は身体の一部です。チームラボは、脳を含めての身体を重視します。そこで、脳のはたらきを、早稲田大学の表現工学専攻教授　郡司ペギオ幸夫さんの興味深い考え方を取り入れて考えていきます。

脳のはたらきの中でも、コンピュータと深く関わる知能を考察します。コンピュータは事物に関する知識の中で数値化できるものを扱うことで、私たちの脳のはたらきを補助するものです。ところがその能力が高度化し、しかも生活の中に深く入り込んでくるにつれて、私たちは自分が知覚するものすべてを数に置き換えて比較、評価するようになってきたのです。人間の機械化です。その結果、人工知能が人間を超えるかもしれないと言い始めたのです。どこかおかしいと思っていた時に、郡司さんの「天然知能」の存在の指摘に出会いました。郡司さんは人工知能、自然知能に加えて天然知能という新しい分類を示します。人工知能は、プログラムによってデータを集め、データの集まりとして世界を理解するのであり、「知覚したデータだけから思考（計算）」します。それに対して人間の脳のはたらきを「自然知能」と呼びますが、郡司さんはその他に「天然知能」があると言います。自然知能は「主観的な経験と切り離して成立する知」であり、それは「世界にとっての真なる知識を模索し、常に真なる知識に近いと思われる世界を志向する」と言います。「自然科学が規定する知能」です。それに対して天然知能は、「知覚されないものに対しても存在を許容する能力、つまりただ世界を受け容れるだけの能力」です。ハッとさせられますね。見ることも聞くこともできないし、なんだかよく分からないけれど、確かに存在するものがこの世界にはあります。しかも暮らしの中ではたらいているのは、主としてここで言われている知能ではないかとさえ思います。言語化できないものであることがしばしばです。それなのに、社会は天然知能無視の方向に動いています。「主観的経験を切り離した知」で動く社会は、人間らしい社会とは言えないでしょう。「子どもの頃、ドブ川でナマズを捕っていた私は、天然知能でした」という郡司さんの言葉に納得です。人工知能が扱うデータ、自然知能が知覚したものだけに向き合っていたら、答えを出して終わりです。でも天然知能が関わる時は、そこでは終わらずもっと何かあるだろうとなるでしょう。

チームラボの作品に触れた時にはたらくのは、天然知能ではないでしょうか。天然知能がはたらきにくい現代社会に対して、この作品の中で思い切り外部に踏み込んで、外部を招き入れなさいと誘います。そこでは天然知能によって何かが分かり、考え、また新しいものを探す気持ちになっていくのを楽しんでいる自分が感じられます。分析や数値に乗らない豊かな世界を切り捨てて生きているのはあまりにもったいない。チームラボの作品は、生きものとしての人間の中にある40億年という時間によってつくられてきた、他の生きものたちと連続した存在として持っている能力を呼び起こしていると思えます。

本来を呼び起こす

生命誌の視点、つまり人間を生きものとして見ながら考えているうちに、最新のデジタル技術を駆使し、新しい光源を用い、複雑なプログラムのもとに生まれた空間で初めて感じとれるとされるチームラボの世界は、洞窟の中に自分の手形を残し、バイソンを描いた人々が見ていた世界だと思えてきました。人間が本来見ているはずの世界です。その世界の重要性に気づいたチームラボが、私たちにそれを見せてくれているのです。

昔を懐かしむ気持は必ずしも自分の体験によりません。棚田がある風景は、そこで暮らしたことのない人、棚田など一度も見たことのない人も、懐かしがります。自然の一部である生きものとしての人間の本来が体のどこかにあるとしか思えません。自然との関係に問題があり、地球温暖化を超えて沸騰化が起きていると言われる今、本来を呼び起こすことが必要だと多くの人が思い始めています。その課題の解決は、決して時間を戻しての生活を求めることではなく、本来の感覚を呼び起こしながら新しい生き方を探ることです。

最初に見た《花と人……》のタイトルの最後に「そして永久に」とあります。姫路での展覧会のタイトルは「無限の連続の中の存在」です。チームラボの活動では永久、永遠、無限という言葉が用いられ、しかもそれは今、連続などという言葉と組み合わされています。

時間が問題であり、しかもそれは続いていくものとして捉えたいのに、終末感のある社会になっているという実感が、これらの言葉を用いる動機になっているように思えます。

生のあるところには死があり、一人ひとりの人間のいのちには限りがありますが、生命は「続いていくもの」としてあるのです。40億年前に誕生した生命システムには、死は組み込まれていませんでした。生命システムが個体を創り出すと同時に、その死によってシステムとしての継続性を保持したのです。いつか終わりはあるに違いないのですが、私たちの日常の時間から見れば永久と思える彼方まで、いのちは続いていくに違いありません。自身の快楽や欲望だけに動かされて拡大・進歩の道を歩いてきたホモ・サピエンスが、自身が生きものであることを自覚し、自分のコントロールの外で続いていく世界をイメージできるようにしてくれる作品たちがここにあります。アートであるからこその力を感じ、深くその世界に入り込みながら、まだ現代の人間社会はデジタルとの向き合い方への答えを手にしていないと思っています。答えはあるのでしょうか。

注1　生命誌（Biohistory）：本来生命とは何かを問う生命科学が、機械論的世界観を持ち、人間をも機械として見ていることに疑問を持ちました。生きものを構成する細胞が持つDNAの総体であるゲノムが解析され、そこに40億年の生命の歴史とすべての生きものの関係が記されていることが明らかになりましたので、そこから生命体を全体として理解する総合的で根源的な知として創りました。

注2　《花と人、コントロールできないけれども共に生きる、そして永久に / Flowers and People, Cannot be Controlled but Live Together, for Eternity - Tokyo》teamLab, 2014, Interactive Digital Installation, Endless, Sound: Hideaki Takahashi

チームラボ論
──「動的平衡」の見地から

▶福岡伸一　FUKUOKA Shin-Ichi
生物学者・作家。1959 年東京生まれ。京都大学卒。米国ハーバード大学医学部博士研究員、京都大学助教授などを経て青山学院大学教授・米国ロックフェラー大学客員教授。大阪・関西万博（EXPO 2025）テーマ事業「いのちを知る」プロデューサー。サントリー学芸賞を受賞し、89 万部を超えるベストセラーとなった『生物と無生物のあいだ』（講談社現代新書）など、“生命とは何か”を動的平衡論から問い直した著作を数多く発表。

チームラボのファウンダー、猪子寿之は、少年の頃、生まれ故郷の徳島で、遊び場にしていた丘に登り、そこから眺めわたした光景に感動した。眼下に広がる細かな街並み、幾重にも連なる青い山々、遠くに光る海……

ところが、この風景を手持ちのカメラにおさめて現像した写真を見てみると、意外なことが起きていた。あんなにみずみずしく眼前に広がっていた風景は、写真の中では、平板な、ごくありふれた、つまらないガラクタに変質していた。これはいったいどうしたことだろう。猪子は考えた。おそらくこれはカメラのレンズを通して、3 次元世界を 2 次元に落とし込んだとき、何かが失われてしまったからだ。レンズが、自分と世界の壁を作っている。何とかこれを超えることができないだろうか。このセンス・オブ・ワンダー、── sense of wonder, 世界に対する驚きの感覚 ── 、が彼の原点になった。

同じようなことは、しばしば私たちも体験するところのことだ。東京にいると、西日を背景に、みごとな富士山のシルエットが大きく浮かび上がる丹沢山系を遠望できる夕方の一瞬がある。けれど、それをスマホで撮影してみると、あんなに堂々としていた富士山の姿は、写真の中では豆粒のように小さくしか捉えられていない。

なぜこんなことが起きるのか。それは私たちの主観的な認知の仕組みにキーポイントがある。美しい光景を見渡す時、私たちの視覚は次々とフォーカスを滑らかに変化させながら、世界を繋いでいく。あるいは富士山を眺める時、私たちの視覚はその対象を瞬時にズームアップして認知している。

世界をありのまま、肉眼で捉えることが正しい世界認識なのだろうか。それともカメラのレンズを通して写し取られた世界の方が、正しい──あるいは客観的な──世界認識なのだろうか。

おそらくどちらも違う。私たちの主観は世界を“ありのまま”に見ていない。百聞は一見にしかずとはいうものの、私たちの視覚は、限られた波長の光しか感知することができない（それは赤色から紫色に遷移する光のスペクトル、いわゆる虹の七色である）。それはごく限られたほんの数百ナノメータの波長の範囲だけの世界である。ヒト以外の生物なら、この外側の光、紫外光や赤外光を“見る”ことができる。あるいは渡り鳥やある種の昆虫は“磁気”さえも“見る”ことができる。だから彼らが感じている世界とは、人間の認知している世界とは全くことなったもののはずだ。

これは他の感覚についてもいえる。聴覚や嗅覚にも制限があり、また加齢によっても認識範囲が狭まっていく。だから、私たちは、世界をありのまま感じているように思えても、実はまったくそんなことはないのだ。むしろ暗い壺の中で、外界に向けて穿たれたほんの小さな窓から、世界を垣間見ているに過ぎない。しかもそのわずかな情報を脳が加工しながら認知している。それが私たちの世界観なのである。

孤高の生物学者ユクスキュルは、このような生物固有の世界認識のことを、その生物の環世界（Umwelt）と名づけた。私たちにとって、ありのままの世界と思っている世界とは、ホモ・サピエンスという生物種のもつ限定的で制限的な環世界に過ぎない。

そしてまた、このような環世界による制限を受けている私たちが、一見、客観的に見えるような観測方法、カメラや顕微鏡や望遠鏡、あるいは各種の測定・観測装置を通して捉えたデータもまたごく限られた世界認識のほんの一部でしかないことも自明である。

チームラボの企てのひとつは､私たちの認知機能（主観性）を超えて、そして、旧来の“ 客観的 ”な方法論をも超えて、私たちの環世界を揺さぶろうとすることにあると思える。

たとえば、彼らの映像作品《生命は生命の力で生きている II》（004頁参照）を見てみよう。これは、細密色彩で描かれた枯れ枝に見えるものがゆっくりと回転しながら、四季が巡っていくというもの。1点に目を凝らしてみているだけでは、全体の変化を見逃してしまう。画面のあらゆる部分で少しずつ変容が生じ、花が芽吹き、葉がしげり、虫たちが通ってきて、やがてまた花は散り、葉も落ちていく。（しかも花びらや葉っぱの増減は画面内で整合性がとれている）

人間の主観的認識を超えつつ、カメラレンズ映像のような１点フォーカスでもない自然の表現。このような映像が実現できるのは、ひとえにデジタル技術が進化して、画面の全点に平等な焦点深度を与える表現が可能になったからである。私たちはこれをみて、人間の主観性の限界を知り、一方で、従来の映像では表現しきれない世界の動的な変容を知る。それは新鮮な体験となって私たちに驚きを与えてくれる。

あるいは《我々の中にある巨大火花》（044 頁参照）を見てみよう。これは赤い点光源が、暗幕の前に吊るされているだけのシンプルな仕掛けだが、すこし離れたところから光源を見ると、まるで線香花火のように、細い輝線が放射状に吹き出しているように見える。本来、光は光源から同心円状（より正確に言えば同心球状）にシームレスに広がっているはずなのに、光は針状に見えるのだ。つまりこの光の輝線は、物理的に存在しているのではなく、私たちの脳内に認知としてのみ広がっている。その輝きは繊細でとても美しくみえる。

この作品は、私たちの網膜と脳の視覚認知機構の裏をかいたもの、と解釈できる。私たちの視覚は、光ったものを見つけると、その光をより強調して捉えるために、光を感知した網膜細胞の近傍の細胞は抑制的に働く。だから「花火」はある光の線が強調されると、その周囲が暗くなる、と説明できる。しかもこの明暗は、どの光を捉えるかで動的に揺らぐ。これもまた私たちの認知機能の恣意性（加工性）を際立たせ、私たちの主観性を相対化する試みといえる。

チームラボのもうひとつの企ての主眼点は、時間をどう扱うかという問題へのチャレンジだと思う。時間とは何か。これは、人間が芸術(アート）表現を手にしたときからの人類史的な課題でもある。

従来、絵画、彫刻、造形、いずれであっても、それは基本的には世界の変化の一瞬を切り取ったスナップショットである。芸術作品が静止物である以上、それを動かすことはできない。しかし、古来、作品の中に「時間」を封じ込めようとする試みについて、芸術家による不断の努力が重ねられてきた。レオナルド・ダ・ヴィンチによる渦巻く水流の素描、フェルメールによる日常の風景、北斎による滝の描写や波の表現……

これらの作品に、“動的な美”を感じることができるのは、（たとえばフェルメールの《牛乳を注ぐ女》はいまもなおミルク壺のしずくを落とし続けている)、そこに描かれているものが、機械論的な一瞬の切り取りではなく、そこに至る時間（つまり過去）とそこから始まる時間（つまり未来）が、今現在とともに、ある種の厚みを持って描かれているからである。

チームラボは、猪子の巧みなディレクションによって、この問題にも果敢に挑んでいる。それは時間の流れを「軌跡」として表現するという方法によって、である。《Dissipative Figures – Human,Light in Dark》(021頁参照)を見てみよう。これは人間の姿をした画像が身体を動かすにつれ、身体の動きに伴って動いた空気の流れが軌跡として見える、という映像だ。これまたデジタルメディアデザインならではの表現である。

生命とは何か。それは動的平衡である。というのが、私の生命論である。動的平衡とは、率先して自らを破壊し、その不安定さを使って新たな平衡を作り直す、ということである。生命がエントロピー増大の法則にあらがって生命を維持し続けられる秘訣もここにある。秩序は壊されるためにこそあり、動的平衡は流れの中にある。流れとはつまり時間のことである。このことを表現するために、私は、環境から絶えず粒子が流れ込み、一瞬、生命体の形を作り上げるが、次の瞬間には粒子として再び環境に戻っていく、という動的平衡モデルを考案してみた（www.fukuokashinichi.com)。それはチームラボの作品とある意味、非常に似ていることに衝撃を受けた。動的平衡を可視化しようとすると同じ結論に行き着くのだ。

チームラボが目指す第３の、そして最大のゴールはなんだろう。それは生物学者の私の目から見ると明らかすぎるほど明らかのことである。

チームラボが、麻布台ヒルズの地下に巨大な展示空間を作り上げた。チームラボボーダレスである。今回、制作途上にある内部を特別に見学させてもらった。そこには目を見張るような光景が広がっていた。絶えず流れ落ちる巨大な滝、軌跡を残しながら縦横無尽に飛び交う鳥たち、立方体の凹凸でできた壁面に途切れることなく流れ行く青い潮流。そして鏡面空間に吊るされた不思議な球体。人間が近づいたり、触れたりするとそれに反応して周りの球体と同調運動を起こしたり、一筆書きの点滅を行ったりする。いずれも新鮮で、めくるめくアート体験である。

これらの展示の総体的なメッセージはなんだろうか。それは言語（ロゴス）が分節化し、捨象してしまったものを回復し、つなげ直そうとする努力である。猪子が少年時代に見た郷土の風景は、すべてが関係し、つながりあって存在する自然（ピュシス）であったはずだ。そこに私たちは美しさを感じ、生命もピュシスの一員としての連鎖を意識し、それが生きることの意味を体現している。

しかし同時に人間は、コミュニケーションの道具としてではなく、世界を構造化するツールとしての言語を生み出した。言語の力によって自然を分析・分類し、制御しようとした。その結果、テクノロジーが生まれ、都市が作られ、政治、経済、貨幣などの制度が成立し、文化と文明が進展した。つまりこれらはすべて言語（ロゴス）が生み出したフィクションであると言ってもよい。私たちはこの基盤の上に立って、今、地球の支配者然として振る舞っている。

一方で、言語が切断してしまったものがある。川、湖、海、雨、雪、雲といったものは本来すべて水であり、水の循環として繋がっており、それは私たち生命体の中にも流れ込んでいる。言葉はこれを分節化してしまった。そして本来存在していた連続性、関係性 ── 特に相補性や利他性 ── 、メタモルフォーシス（変容）といった相互作用を見えにくくした。芸術（アート）の本来的な役割は、言語（ロゴス）に対抗することであると私は思う。言語によって捨象されてしまった関係性の回復が芸術の第一の役割である。あるいは言語化しきれない自然（ピュシス）のありようを言祝《ことほ》ぐことがアートの意味である。
（その意味では、チームラボのアート活動を、このように言語化して解説しようとすること自体に自己矛盾があるわけだが、彼らの表現自体ではなく、彼らの目指すところの頂きを、言葉によって指ししめすことは意味のないことではなかろう)。

巨大な泡の渦が､回転しながら生成と消滅を繰り返す《質量のない雲、彫刻と生命の間》(061 頁参照)は、まさに生命の動的平衡、生物と無生物のあいだにある関係性を回復しようとする試みであるといえる。

言語が、生み出した最大のフィクションが、自己(=セルフ)という概念だと私は思う。言語が、一人ひとりの人間の生命に最高の価値を付与し、基本的人権を生み出したことは、言語の功罪の功の側面である。一方、一人ひとりの自己(セルフ)が、自明•独自のものとして存在し、自己が一貫性をもち、自己が実現されなければならないという物語に自縄自縛されているのが現代人であるといえる。

セルフという言葉による呪縛を解き放つ、というのがアートの力だと思う。そしてチームラボはこの命題に正面から挑んでいる。その覇気を感じる。《Autonomous Abstraction, 宇宙から自分の存在まで連続する現象》(008 頁参照)は、自己の存在と宇宙との界面は境界ではなく、相互貫入している連続体であることを感じさせてくれる。最初に取り上げた《生命は生命の力で生きているII》も、スクリーンを自己と対象物の境界とせず、対象物と自己とが奥行きを持って連続していることに気づかされる。

このように概観してみると、チームラボが目指していることと、私が生命について思考を深めてきたことが極めて近い場所にあることを知

り、あらためて驚かされる。鳥の群舞や魚の回遊、あるいはホタルの発光の同調現象に見られるように、生命の振る舞い方は、いずれも同時的・共時的であり、そこではセルフの概念はむしろ不明瞭で、セルフは全体に溶け出しているかのようにさえ見える。生命は利己的であるというよりは、常に利他的である。食う食われるという関係であっても、それは優劣ではなく、共生的なものと言える。そして生命はたえず動的平衡の状態にある。破壊と合成、酸化と還元、分裂と結合といった相反する行為を同時に行って、その上に危うい平衡として成立する。二度と同じ状況はない。環境は絶えず私たちを通り抜けて流れている。時間もまた動的平衡によって生成している。

これらはまさにチームラボが表現しようとしている生命の振る舞い方である。彼らの作品名に「生命」というワードが頻出することからも明らかである。立場や方法論は異なれど、私たちのこころざしは同じところを見ている。そんな感慨を強く持った。その意味でチームラボの表現活動にますますの期待をしたい。

チームラボの発展と未来

▶南條史生　NANJO Fumio
美術評論家・キュレーター。慶應義塾大学卒業。国際交流基金等を経て、2002年より森美術館立ち上げに参画、2006年11月から2019年まで館長、2020年より特別顧問。2023年5月よりアーツ前橋特別館長。1990年代末よりヴェニスビエンナーレ日本館を皮切りに、台北ビエンナーレ、横浜トリエンナーレ、シンガポールビエンナーレ、茨城県北芸術祭、ホノルルビエンナーレ等の国際展で総合ディレクターを歴任。著書として『アートを生きる』(角川書店、2012年)等。

チームラボの作品を最初に見たのはどの作品だったのか思い出せない。しかし極めて初期の頃だった。最初の頃は、賛否両論だった。あれは新しいという賛同の声と、あれはアートではないという批判が聞こえた。あるいは、あの人気は長く続かないという声も聞こえた。しかしそうだろうか、と私は思った。私はそうした批判を知りつつ、少しずつ、チームラボを訪問鑑賞し、又自分のプロジェクトに招待し始めた。それは私が安易な批評に容易に加担せず、何時もその判断の根拠を疑う性格だったからだろう。

東京・お台場の「森ビル デジタルアート ミュージアム：エプソン チームラボボーダレス」(2018年6月-2022年8月／2024年2月上旬に麻布台ヒルズに移転オープン）が完成して、2018年の春頃にその全貌を観る機会を得た。10000平米の空間を埋めるスケールに圧倒された。現代美術というジャンルで観ると、これほどのスケールの屋内作品はめったにない。500台のプロジェクターと520台のコンピュータを使って、映像が全て連続的につなげられているということは、その総体が一つの作品だと言うことができる。スケールだけでも驚くべき事だった。

その後、東京・豊洲にある「チームラボプラネッツ TOKYO DMM」(2018年7月-2027年末)も観る機会を得た。水の中の泳ぎ回る鯉が、天井から照射されたプロジェクションでできているという驚き。また大量の観客に靴を脱がせるという、外国人にはハードルの高い観客の扱いにも、独自性を感じさせた。

こうした作品の経験を経て、2018年頃に佐賀・武雄温泉の御船山楽園で開催されている「チームラボ かみさまがすまう森」(2015年より毎夏開催)を見に行った。御船山は、基本的に楠の古木を中心に全ての作品が山を覆う自然の中に展開している。その全体の広さはお台場を超えるだろう。自然の中でこれほどメディアアートを展開した事例は世界で初めてのはずだ。何しろ一つの山全体がキャンバスのようなものである。日本庭園の中の大きな池に映像の鯉が泳ぎ、巨大な岩肌に滝のイメージが流れ落ちる。そして大量のプロジェクターやコンピュータは、屋外におかれて、雨にも風にも負けずに毎日映像を送り出す。

そんな経験と前後するが、私は2016年に開催した「茨城県北芸術祭」(2016年9月17日-11月20日)にチームラボ作品の出展を依頼した。それは会場の一つだった岡倉天心美術館に天心にちなんだ新作を出品してくれという漠然とした内容だった。猪子は考えたあげく、お茶をテーマにした作品を提案した。抹茶茶碗の中に映像の花が咲き、観客がお茶を飲むと、その花は畳の上に散っていくのである。その後、この作品《小さきものの中にある無限の宇宙に咲く花々》(注1)は、お台場のボーダレスの内部や御船山のカフェで、より洗練されたシステムに改良されて、再登場することになった。まさに天心美術館が発端になった名作である。

森美術館では2016年に「宇宙と芸術」（2016年7月30日–2017年1月9日）という展覧会を開催したが、そこでは展示の最後に、《追われるカラス、追うカラスも追われるカラス、そして衝突して咲いていく》（注2）という作品を出展してもらった。それは宇宙を八咫烏《やたがらす》の群れが疾走するというスピード感にあふれた作品で、プロジェクションは、壁の全周と床を埋めており、内部の人はほとんど宇宙酔いを起こすほどのインパクトだった。

そんな中で、森ビル本社の応接間のロビーにチームラボ作品を置く話が持ち上がった。作品は《四季千年神田図 – 田染荘》（注3）で、これは大分県の日本最古の稲田の様子が描かれた屏風絵のような映像である。面白いのは、現地で雪が降れば画面でも雪が降り、現地で桜が咲けば、画面でも桜が咲く。リアルな描写なのでは無く、画面の主題は現実の風景とリアルタイムにリンクしている。まさにネット時代の作品だと言えるだろう。さらに2022年4月に青森県立美術館で展示した作品《不可逆の世界》（注4）は観客が村人に触れる事ができるインターアクティビティを備え、いじりすぎると、諍いが起こり、戦争に発展し、最後に人々は死に絶える。そして実際何カ月か放置しておくと、画面上に草花は再生して育ち、命が蘇ってくる。死と再生がテーマである。

ところでこうした関わりを持ってチームラボの作品を観てきた私だが、2019年に兵庫の姫路市立美術館に招かれて「チームラボ 世界は暗闇からはじまるが、それでもやさしくうつくしい」（2019年4月20日–6月16日）を鑑賞することになった。この展示は会場が市立の美術館であったためか、それまで彼らがやってきた展示とも違った、堅固で緊密な作品の相互関係が生じていた。それは美術館のキュレーションのおかげなのか、それとも美術館が持つ古い煉瓦建て建物の厳格な空間のせいなのかわからない。数は多くないがその展示には、展覧会という表現技術の持つ特有の緊張感が感じられた。館内に順次展開する作品は、学芸の解説で再度理解を深めた。そして猪子氏との対談に臨んだ。

対談で猪子が何故このような作品群を生み出し始めたかについて説明を聞き、なるほどと思った。一つは彼の漫画のフレームの向こう側の世界とこちら側の世界についてのコメントであった。テレビの画面のようにレンズを通した世界は彼にとって、あちら側なのだが、漫画のコマごとの世界は自分を取り込んで同じ現実にあるように感じる、その違いは何なのかと考えたという。つまり漫画の世界の方がイマーシブ（没入感を持って）に自分と繋がっているという感覚だ。これが後にボーダレス、そして超主観空間というコンセプトに発展していった。空間の関係性の議論は数学と宇宙論にまで発展するので、ここでは詳述しないが、その話から子供の時の視覚体験が彼の作品の世界観と繋がっていることが了解された。それは彼の作品から私が受けていた最初の印象とはかなり異なったものだった。

もう一つの発見は、彼の日本の伝統絵画に対する知識と興味である。伊藤若冲に限らず、彼は多くの屏風絵、大和絵を参照している。それは彼が描く花鳥風月、琳派的な表現のインスピレーションの源泉ともなっている。私は、この部分を吟味して、現代美術の主題は、常に政治性や社会性に直結した物だけで無く、伝統から敷衍した別な回答がありうる事を再確認した。というのは、長い年月花鳥風月を主題にしてきた日本の美術を背負う若い世代が、それを参照することは自然な事だからだ。

さらに、この手法を「アナログのイメージをデジタルというメディアに移し替える」という問題に置き換えてみると、そのこと自体が批評を構成する。なぜならメディアこそがコンテンツであり、メディア自体がメッセージとなることはマクルーハンが喝破しているからだ。伝統を最先端技術で表現すればそれは新しいメッセージになる。メディアを乗り換えると、その意味と内容は変化する。

今回、姫路市立美術館で開催された2回目の展覧会「チームラボ 無限の連続の中の存在」（2023年7月22日-2024年1月21日）は、1回目のそれを継ぐものである事は間違いない。作品と展示の流れの詳細な解説は他の論考に明らかと思われるので、私はその中でも前期の最後の作品に注目し、分析をしてみたいと思う。

前期展示は、当初花から始まり、この展開は、いつものチームラボの空間構成とさほど違いは無い。しかし最後の作品《Dissipative Figures – Human, Light in Dark》（021頁参照）は、異様な人像となっている。それは、体中から白く長い毛が生えて、それが風にそよいでいる、あるいは、水の流れの中で揺らいでいるような流動的なイメージだからだ。さらにそれには色が無く、モノクロームで背景はグレーである。それがドキュメンタリー的なシリアスな空気と、コンセプチュアルな趣を醸し出している。雪男のようなおぼろな姿の人像が激しい嵐の中で揺れ動く。それは苦難にさらされている人間の姿でもある。この作品はあきらかにこれまでのチームラボの作品と違う。そこにあるのは哲学的な問い、あるいは実存の問題ではないか。現実は我々が創造するほど確固とした存在では無い。それは変化し、影響し合い、また現象として移ろい行く。その中で生きる人間とは何か、生きるとは何かという問いがここにある。

ここでチームラボが追求してきた作品の特徴を振り返ってみたい。
それは、以下の様な項目になるのではないだろうか。

❶ 常にデジタルテクノロジーを縦横に駆使している

チームラボは、コンピュータ、プログラミング言語、センサー技術、プロジェクション、モニター、など常にデジタルテクノロジーを総合的に使用している。このことによって、その表現は相互に連携し、生命感のある連続的な全体へと拡大する。

❷ しばしばイマーシブでインタラクティブ性を持っていること

観客は包まれて作品を体験する。自分の意思で観客は能動的に作品の状態を変化させ、自分の存在を作品の一部と感じることができる。その結果、観客は制止したアートを鑑賞するのではなく、ゲームのようにアートと戯れることができる。

❸ しばしば自然と人間がテーマになっていること

常に四季、花鳥風月、動物・植物が人間と共にテーマとなり、そこに相互の関係が生じ、また文化と歴史、環境問題、持続可能性への問いなどが包含される大きなビジョンに繋がっていく。

❹ ボーダレスという概念が内容にも制作方法にも適用されている

これまでの伝統的なアートの概念を越境し、隣接のジャンル、エンターテインメント性、ゲーム、セノグラフィー、遊具と遊園地、教育と体育、演劇、スペクタクルなどとの境界を曖昧にする。またデジタル技術は空間、映像、表現の枠組みを破壊し、隣の空間、隣の映像へとリンクして、膨大な広がりをもった世界観へと発展する。そこに何者にも縛られない自由がある。

❺ 常に変化し発展していく

彼らの作品は、テクノロジーの発展、ヴィジョンの変化、次の表現への意欲に先導されて常に変化し、発展する。それはデジタルテクノロジーの性格と同じく、流体的で、変化し続ける。これまで創られた全作品の流れを観ると、そのことがよくわかるだろう。

❻「生と死」の問題が作品の根底に潜んでいる

チームラボの作品を見ていくと、そこには常に美しさと裏腹に儚さと自己消滅が宿っている。それは事物（例えばハードディスクや情報）の儚さだけの問題ではないだろう。そこには本質的な人間存在についての洞察がある。なぜなら命も又はかなく、いつか消えて行くのだから。その二つは平行して進み、チームラボの一番大きなメッセージを構成している。

その後私はマイアミで「Every Wall is a Door」（2021年5月20日 -）というグループ展を観る機会を得た。この展覧会はジェームズ・タレル、チームラボ、エス・デブリンによる体験型アートセンター「Superblue Miami」である。私はそこで現代美術の自然主義的ミニマリズムの最高峰とも言えるジェームズ・タレルとチームラボが同列に扱われているのに驚嘆した。そして中でも最も没入感があったのはチームラボだった。このテーマパークのようなアートのワンダーランドは、Pace Gallery（ペース・ギャラリー）のアーノルド・グリムチャーが喝破したように、チケットセールスで投資を回収することができる世界で初めての現代美術作品である。大規模で没入型の体験型アート作品が、チームラボによって新たなアートのトレンドとして蕩々たる流れとなり、それがアートとは何かという定義の問題にまで変化を与え始めているのではないか。

さてここで、今回の姫路市立美術館での展覧会の中でも、最も重要な作品について語らなければならない。それは書寫山圓教寺《しょしゃざんえんぎょうじ》を会場に開催された「チームラボ 圓教寺 認知上の存在」（2023年4月29日 - 12月3日）における2点の作品である。圓教寺は平安時代から1千余年の歴史を刻む名刹で、この建築群の素晴らしい佇まいは特筆に値する。チームラボに与えられたのは三つの建築がコの字状に立つ、その中央に位置する「食堂《じきどう》」（国指定重要文化財）である。現在の建物は木造建築にもかかわらず内部に約40メートルの大空間がある。

私は促されてその巨大な空間の入り口に立った。すると、そこには、不思議な光が見えた。手前の黒い柱の頭には円形の光るシルエットがあり、そこが光源だろう事が見て取れた。しかし光の広がりは、空間全体に及び、無限の宇宙のような印象を与えた。その光は空間の奥行きを見せると同時に奥行きを惑わすような効果がある。実在しない光の輪が、浮かび上がり、観るものを瞑想に誘う。

暫くその抽象的な作品を鑑賞してから、隣の部屋に案内された。その空間には今度は赤い光が満ちていた。それは隣室とは逆に扇情的な赤い光である。おそらくはLEDの点光源から発するその円形の光芒は広がりながら、細かい粒子のような物質感を生み出している。光彩が広がり、周りに光輪を作り出し、それが新たな視覚の惑いを誘う。

チームラボ自身は、この作品について「アートによって人類の世界認識を変えようとしている。本展において、鑑賞者は、自分が立つ現実空間と、彼らが展開する作品空間がつながる『ボーダレス』な空間――超主観空間――に“没入”する経験を通じて、この世界が連続性の上に成り立っていることを身体的に認識するであろう」と書いている。「世界は私達の外に独立してあるのではなく、私達とつながって、私達とともに、私達の中にあるものとして存在している」というチームラボのメッセージは、ここで抽象的な光の形によって、一つの世界観として結晶したと言えるだろう。

チームラボの作品が「生命の儚さと命の再生」をテーマにしていることは言及した。しかしかれらの思考はさらに進み、生物と無生物という認識の境界をも超えようとしている。

それは宇宙としか呼べないようなものだ。宇宙と同化するイメージは、すでに「宇宙と芸術」展の八咫烏の疾走のときから、彼らの中にあったのかもしれない。

今回発表された二つの作品は、これまでの具象的で、物語的で、ゲーム的な要素を含まない、極めてミニマルな表現に行きついている。説明を切り捨てられた物語は抽象化されて点存在にまで煮詰まっている。それはチームラボが長い年月を掛けて制作し、発表してきた多数の作品の中に宿っている生と死、消滅と生成の物語が通り過ぎ、そして行きついたものなのではないだろうか。タブララサ（白紙還元）した後でまた生まれてくるものは、新たな生命と希望だろう。この不穏で不確定で、戦争と環境破壊の時代に、もう一度希望を語ることに意味がある、とチームラボはそう語りかけているのかもしれない。

ここに来てチームラボはその目差しをアートから哲学、そして遙かな宇宙へ広げていくことを開示して見せた。

注１　《小さきものの中にある無限の宇宙に咲く花々 / Flowers Bloom in an Infinite Universe inside a Teacup》teamLab, 2016, Interactive Digital Installation, Endless, Sound: Hideaki Takahashi

注２　《追われるカラス、追うカラスも追われるカラス、そして衝突して咲いていく / Crows are Chased and the Chasing Crows are Destined to be Chased as well, Blossoming on Collision - Light in Space》teamLab, 2016, Interactive Digital Installation, 4min 20sec, Sound: Hideaki Takahashi

注 3 《四季千年神田図 - 田染荘 / Four Seasons, a 1000 Years, Terraced Rice Fields - Tashibunosho》teamLab, 2016, Digital Work, 6 channels, 1000 years

注 4 《不可逆の世界 / The World of Irreversible Change》teamLab, 2022, Interactive Digital Work, 6 channels, Endless, Sound: teamLab

チームラボの「超主観空間」
——東アジアにおける伝統的感性から

▶筒井忠仁 TSUTSUI Tadahito

京都大学大学院文学研究科准教授。1978 年生まれ。京都大学文学部美学美術史学専修卒業後、同大学院、京都府教育庁指導部文化財保護課、文化庁文化財第一課を経て 2019 年より現職。専門は、江戸絵画を中心とする日本美術史。編著に『仏師と絵師　日本・東洋美術の制作者たち』（思文閣出版、2023 年）。

はじめに

アートコレクティブとしてのチームラボは、様々な新しさをアートシーンにもたらしている。そのことは、今回の姫路市立美術館における「無限の連続の中の存在」展によって、多くの人が感じたことであろう。だが、チームラボの作品に見られるのは、新しさだけではない。彼らの作品には、東アジアの伝統に基づく感性が、意識的に、あるいは無意識的に、強く受け継がれている。つまり、ただ新しいのではなく、そこには過去の芸術に対する深い理解とオマージュがあり、そのことがチームラボの作品に重層性を与えているのである。

では、いったいどのような過去の存在を見直し、どのような美意識を受け継いでいるのか。本稿では、チームラボの作品が持つ東アジアの伝統的感性との親和性について、彼らが用いる「超主観空間」という概念を起点として考えてみたい。

1

「超主観空間」(ultra subjective space) という言葉は、チームラボが活動の初期から使用している概念の一つである。公式見解によれば、「超主観空間」とは、「身体がある世界と作品世界との境界がない平面」であるという(注1)。

伝統的な遠近法に基づく絵画や写真作品などは、作品の物理的な平面の中に、絵画や写真によって作り出された想像上の3次元空間を内包する。これは作品の制作者がある地点から眺めた外界の景色を、作品の画面上に再現したものである。鑑賞者がこうした作品を見る時、その視線は、作品上に再現された空間を捉えるが、鑑賞者のいる空間と作品上の空間が一体化することはない。作品上に再現された空間は、もともと制作者の外部に展開していた空間だからだ。従って、鑑賞者の身体が存在する空間──多くの場合それは美術館やギャラリーの室内である──と、作品中に展開された想像上の3次元空間は、作品の物理的な表面を境界として断絶している。鑑賞者はあくまでも外から作品を眺めるだけである。ここでは、主体である鑑賞者と、客体となる作品は、対峙するものとして個別に存在し、主体と客体が交わることがない。

一方、「超主観空間」において、作品上に広がるのは、窓から外の風景を眺めたような3次元空間ではない。そこにあるのは、風景の中に分け入り、そこから辺りを見渡すようにして捉えた情景であり、それを直観的に感じ取れるように再現した空間である。そのため、鑑賞者が作品を見る視線と、作品の内部を構成する視線とが重なる時、鑑賞者は、自身が存在する空間と、作品内部の空間とが同一化するような錯覚を覚えるだろう。この時、鑑賞者は、自分が存在している主観的な空間を超えて、作品の持つ空間へと入り込んだ状態となっている。つまり、主・客の空間が重なるのだ。チームラボ作品の批評に、しばしば「イマーシブ」や「没入感」といった言葉が使われるのは、彼らの作品が、こうした「体験的」な側面を有しているからに他ならない。そうすると、「超主観空間」の「超」は、主体である鑑賞者の視点が、主観を「超えて」、客体となる作品の視点と同一化すること、という意味に解釈できよう。そして、主・客の境界を取り払うことから、チームラボの作品に通底するもう一つの重要な要素、すなわち境界の不在や曖昧さを意味する「ボーダレス」という概念が派生してくる。

もちろん、「イマーシブ」で「体験的」なアート作品が、これまでに存在しなかったわけではない。ただ、チームラボの作品が興味深いのは、こうした特長を西洋と東洋の伝統的な視覚形式の違いから説明するところにある。

チームラボ自身の説明によると、「レンズによる写真や映像、西洋のパースペクティブによる絵画」には、固定された一つの視点から見た3次元空間が表現されている（注2）。しかし、「近代以前の東アジア」においては、「狭くて浅いフォーカスで得た多くのイメージを脳で合成し、空間を見て」おり、それを作品世界に反映している。従ってそれは、「カメラで対象物の近くに寄って撮った写真をつなぎ合わせてひとつの全体写真をつくった」ようなものとなる（注3）。

具体的には、例えば「洛中洛外図屏風」のような作品を思い浮かべると分かりやすいだろう。これは、16世紀初め頃から描かれ始めた、京都の市内と郊外の町並みを、屏風の大画面に描いた作品である。そこには、御所や有名寺社など京都の名所が余すところなく描かれ、さらに、祇園祭などの祭礼や庶民の生活の様子も描き込まれている。京都という都市のすべてを描こうとする、壮大な作品と言ってよい。

この屏風を全体として見ると、斜め上から京都を俯瞰したように画面が構成されていることに気付く。ただし、画面全体が一つの視点から見た統一的な空間を持つわけではない。上空のある1点から京都を眺めたというよりも、それぞれの名所を上から見た視点を、画面上に並列させたというほうが正しい。そのため、遠方にあるはずの山並みも、近距離にある寺社の建物も、同じような大きさで均一に描かれている。ここで鑑賞者に求められているのは、全体を一望するだけでなく、個々のモチーフへと視点を移動させながら、作品を眺めることであろう。そうすることで、鑑賞者は、視線を移動させるにつれて、まるで作品世界に入り込んでいるかのような感覚を得ることが出来るのである（注4）。

「洛中洛外図屏風」の仕掛けはそれだけではない。屏風は、たいてい2枚一組で一つの作品を形成しており、鑑賞者は、それらを横に並べて離れた地点から眺めるのが一般的だ。この場合、2枚の屏風は、横に並べた時に違和感がないよう構図などが設定される。しかし、「洛中洛外図屏風」は、例外はあるものの、基本的には左右に2枚の屏風を並べた時に、画面が連続するよう作られていない。というのも、1枚の画面には京都の中心から見た西側の情景が描かれ、もう1枚には、京都の中心から見た東側の情景が描かれているからである。つまり、実際の地理的景観に合わせて屏風を鑑賞するには、2枚の屏風を横に並べるのではなく、2枚を向かい合わせに立てる必要がある。そして、鑑賞者は、その間に挟まれるように立ち、体を反転させたり、視線を移動させたりしながら、画面を眺めなければならない。従って、西洋絵画を見る時のように、対象となる作品と対峙し、ある地点から凝視するだけでは、没入的な鑑賞体験は成立しない。身体を動かしながら、作品の間に入り込み、様々なモチーフを一瞥していく必要があるのである。まさにこの特徴は、チームラボの作品に通じるものであろう。チームラボの「超主観空間」とは、この身体性を伴う空間認識と作品への没入的感覚を、デジタル技術を駆使して現代的に再解釈したものに他ならない。

2

今回展示されたチームラボの作品《連続する生と死》(030頁参照)も、「超主観空間」および「ボーダレス」を感じさせるものであった。展示室内には、無数の花々が投影され、日本の花鳥画にしばしば描かれる岩組や土坡、あるいは金屏風の金箔を思わせるモチーフが花々の間に配される。3次元の空間は意識されず、下から生えているような花もあれば、空中に浮遊しているような花もあり、一つの視点によっては捉えられない空間が構成されている。鑑賞者は、ここでも視点を動かし、体験的に作品と関わることで、主客の境界を越えた「超主観空間」を感じ取る。

この作品の内部空間は、重力のある3次元空間ではない。上下や、中心と周縁といった区別がなく、空間全体にモチーフが散らばっていく。このような特徴は、かつて20世紀半ばにジャクソン・ポロックらの抽象絵画作品の批評に使われた、「オール・オーヴァー」という概念を想起させよう。ポロックの作品においては、絵具がキャンバスの全面にたたきつけられており、上下左右の区別がなく、全体が等価値である。さらに画面の端にまで到達する絵具は、画面の外にまで広がっていくかのような印象を与える。チームラボの《連続する生と死》は、具象的な花々をモチーフとする点が異なるが、画面全体をモチーフが覆い、中心を持たないという点において、「オール・オーヴァー」な特性を備える。あるいは、チームラボの《Autonomous Abstraction, 宇宙から自分の存在まで連続する現象》(008頁参照)のような抽象作品であれば、より「オール・

オーヴァー」な絵画に近いと言えるかもしれない。その点では、20世紀の抽象絵画運動とも関連を持つだろう。

だが、こうした特徴も、東洋絵画の伝統と無縁ではない。特に日本の琳派作品とは、その構成において共通する点を多く含む。例えば、17世紀初めに活躍した俵屋宗達の「四季草花下絵色紙」のような作品は、画面全体が草花のモチーフで覆いつくされている。それぞれのモチーフは文様のように描かれ、画面の隅々にまで配される。そのため構図の中心となるものが存在せず、画面上に中心と周縁の区別がない。また、金箔を敷き詰めた金地の均一な画面にモチーフを配することが多く、鈍く輝く無背景の抽象的な空間が、独特の無重力の世界を感じさせる。そして、抽象化された波などの表現に見られるように、モチーフ自体も具象と抽象の境界が曖昧である。こうした「オール・オーヴァー」で「ボーダレス」な特徴は、チームラボの作品と通じるものがあるだろう。

ただし、《連続する生と死》には、もう一つ別の重要な要素として、インタラクティブな特性がある（注5）。この作品では、鑑賞者が投影された花に触れると花は散っていき、じっと触り続けるとまた花が生まれる。たくさんの人が触れるとたくさんの変化が生まれ、その変化も作品の内にある。従って、鑑賞者が見ている作品は一回きりのものであり、「今この瞬間の絵は二度と見ることができない」（注6）。鑑賞者の振る舞いによって変化するインタラクティブ性と、二度と同じものは現れないという一回性は、この作品の重要な特徴である。

これらの特徴はどのように考えるべきであろうか。この問題を考えるために、もう一つ別のチームラボ作品を見てみたい。

3

《Dissipative Figures – Human, Light in Dark》（021頁参照）は、人間が活動する際に体表から発散する様々なエネルギーや、周囲の空気の揺らぎのようなものを、暗闇に浮かぶ光線として動画上に可視化したものである。人間の存在を前提としているが、人間そのものは表現されていない。動画の中の光の束は、人体そのものを描き出すことはなく、人体を暗示しながら、その動きに合わせて揺らめくだけである。そこにあるのは、人間の動きの痕跡であり、人間の動作そのものが、抽象化されて表象されていると言ってもよい。「生命の構造は、そのもの自体ではなく、それらと連続する環境によってつくられて」おり、生命とは、「開いた世界の中で、流れの中に生まれる奇跡的な現象であり、海の渦と同じように、その存在の境界が曖昧な、無限の連続の中の存在である」というのが、チームラボがこの作品に込めた思いだという（注7）。ここに見られるのは、人間と外界との境界の再解釈である。人間が発する体温、吐息、皮膚から発散する蒸気などは、その人が存在しなければ生じないものであり、それらも含めて人間の存在として規定することもできよう。この場合、人間は、物質的な外表面 ── 例えば皮膚 ── によってのみ外界と接しているわけではなく、実際には、皮膚を超えて外界と緩やかに繋がっている。画面に表れた光線は、その外界との繋がりを表現したものに他ならない。よって、人間と外界との境界は曖昧だというわけである。

この作品は、これまで取り上げた作品と違い、作品と鑑賞者の融合的側面は少ない。従って、「超主観空間」のような鑑賞体験は生じにくい。ここで注目したいのは、この作品が、人間を海の渦のようにうごめき続ける存在として捉え、その「活動」や「エネルギー」、あるいは「動き」といったものを抽出し、主題として取り上げているところである。一般的な絵画や彫刻と言った芸術作品は、動く人体を表現したり、人間の「動き」を暗示したりすることはあっても、生命の痕跡としての「動き」や「エネルギー」そのものを主題とし、可視化することはなかった。その点で、この作品は極めて斬新で興味深いのである。

このように「動き」に着目する点で思い出されるのが、茶の湯の美学である。チームラボ代表の猪子氏が述べているように、茶道は、「過程を消費する」ところに特徴があり、結果よりもその途中の様々な行為が重要な意味を持つ（注8）。例えば茶道において重要なのは、作法として確立した一連の動作である。茶会というのは、主人が客に茶を飲ませることが最終目的のように思えるが、実際のところはその過程、すなわち茶を入れる際の動作が重要であり、その時の所作の美しさを見せることが大事な要素となる。ある意味で、茶を入れる所作の美しさを極限にまで高め、作法として確立し、定式化したのが茶道である。それは、人間の動作に着目し、芸術へと昇華させたものともいえるだろう。

もちろん、茶道で追及されるのは、亭主の動作だけではない。茶会では、客の振る舞いも重要となる。そこでは、交わされる会話の内容なども吟味されるだろう。亭主と客それぞれの行為だけではなく、両者の相互作用、すなわちインタラクティブであることが茶会の質に関わるのだ。そしてもう一つ重要なことは、茶会が一回性、すなわち「一期一会」を重要視する点である。説明するまでもなく、茶道においては、その日その場で行われる茶会は一度きりであることを意識し、それを大切にすることが求められる。茶会を一つの芸術行為として捉えるなら、インタラクティブであることと一回性を持つことは、茶会の芸術性を高める極めて重要な要素と言えるだろう。

このように、動作への着目は、まさに《Dissipative Figures – Human, Light in Dark》の特徴であり、インタラクティブ性、一回性といった要素は、先に挙げた《連続する生と死》に見られるものである。とすれば、チームラボの作品と茶の湯の美学とは、全体として極めて高い親和性を有することが理解されよう。

さらに付け加えると、茶会はその始まりと終わりが曖昧である。茶室に入ってからが茶会なのか、それとも茶室のある敷地に入り、庭を歩くのも茶会の内なのか、あるいは招待状を受け取るところからすでに茶会は始まっているのか。その範囲は、いかようにも捉えることが出来る。そして、一つの茶会はまた新たな茶会を生む。それは、チームラボの言う「存在の境界が曖昧な、無限の連続の中の存在」ともいえるものなのである（注9）。

おわりに

いわゆる西洋の“タブロー”――ここでは、額縁のある鑑賞絵画と規定しておく――は、見る者と、見られる物の間に厳密な区別を生じ、そこに境界を設けることになる。一方で東洋的な絵画の多くは、鑑賞時に鑑賞者と作品が一体となることがしばしばあり、その時両者の境界は曖昧である。

かつて唐木順三は、自然の「自」という字が、「みずから」とも「おのずから」とも読めることに着目し、次のように述べた。

> みづからがおのづからであり、またその逆におのづからがみづからであるといふことが、日本人の心のうごきの特色といつてよいと思ふ。萬葉集巻十三には自然と書いてそれをおのづからと讀ましてゐる例があるが、その自然が同時にみづから、即ち自己であり、またその逆に自己が即ち自然であるといふことが、日本人の傳統的な心の動きの中にある（注10）。

すなわち、自己と外界の自然を対立するものとして捉えるのではなく、その境界線を曖昧にし、両者を不可分のものとして理解するところに東洋的思考の特色があるというのである。唐木以外にも多くの先学がこの問題を取り上げているが、いずれにせよ、自他に明確な境界を設けない意識が東洋的思考の深いところに根差しているとする点は共通する。

「人々の世界の見え方が、人々の世界に対するふるまいに大きな影響を与える」と考え、人々が「自分と世界」を「連続したものとして認識する」ことを願うチームラボにとって、東洋思想に見られるこの境界性のない思考、すなわち「ボーダレス」な感覚を作品に持ち込むことは、いわば必然だったと思われる（注11）。チームラボが、東洋の伝統的視点に基づく「ボーダレス」な「超主観空間」を重視する理由も、この点に存在する。そして、こうした伝統的思考を基礎に置きつつ、最新のデジタル技術を駆使しているところに、レイヤーと文脈を保持した重層的で斬新な作品が生まれる要因があると言ってよい。だからこそ多くの人が、チームラボの作品に魅了されるのであろう。チームラボの作品には、これ以外にも様々な要素が見られるが、今後もその活動を見守りつつ、その芸術的特性について考えていきたい。

注1　https://www.teamlab.art/jp/concept/ultrasubjective-space/（2024年1月15日閲覧）。

注2　同前。

注3　同前。

注4　初期の作品である《花と屍 剥落 十二幅対「繁栄と厄災」》は、この洛中洛外図的視点に、絵巻物に見られる吹き抜け屋台の手法などを取り入れて、その空間把握の論理構造をイメージ化したものである。

注5 なお、これ以外にも、この作品には、時間のうつろいを感じさせるべく、例えば日の出とともに明るくなり、日の入りとともに暗くなるなど、展示室の現実の時間に合わせて作品が変化するという、時間芸術の特性もある（https://www.teamlab.art/jp/ew/continuouslife-and-death-himeji/himeji/ 2024年1月15日閲覧）。この点は、絵巻物のような、少しずつ繰り広げることで鑑賞が成り立ち、時間の経過を伴うことを前提とした作品と通じるものがあるのだが、紙数の都合で詳細は省略したい。

注6 同前。

注7 https://www.teamlab.art/jp/w/dissipativehuman_single_lightindark/himeji/（2024年1月15日閲覧）。

注8 「起・業・人 (Number 228) チームラボ社長 猪子寿之 世界が注目する技術力と表現力 エンジニア集団を束ねるピュアな表現者」『週刊ダイヤモンド』4215号、2008年、115頁。

注9 千利休の活動には後世付加された伝承が多く、実際のところは不明な点が多い。ただ、残された史料から推測すると、利休の茶の湯は、もともとは価値の低い自然の竹を切った花入れや、侘びた茶室を用いるもので、高価な唐物や豪勢な設えの部屋からの脱却を目指している。それはある意味で、「モノ」から脱却し、そこで行われる「行為」そのものを重視する姿勢ともいえる。チームラボ代表の猪子氏は、たびたび「モノ」から脱却することがデジタル表現を採用する理由だと公言しているが、その点も茶の湯の精神と通じるものがある。

注10 唐木順三「自然といふこと」『日本の心』筑摩書房、1965年、7頁。

注11 注1参照。

美術の起源とチームラボ
──洞窟壁画の造形空間から

▶小川 勝 OGAWA Masaru
1956年京都市生まれ。大阪大学文学部卒業。スペイン国立マドリード・コンプルテンセ大学先史学科に留学。フランス国立パリ自然史博物館・古生人類学研究所で研修。現在、鳴門教育大学特命教授。専門は芸術学（先史岩面画研究）。主に洞窟壁画の調査研究を通して、芸術に対する起源論的アプローチにより、美術が最初に作り出された理由とその存在意義に関して、現象学的に考察を進めている。

チームラボの作品は暗闇の中にある。あるいは暗闇そのものが作品で、その中に光がある、といってもいいだろう。音も鳴っている。包まれるような感覚で、視ることと聴くことがとぎすまされる。触ってかたちが変容してゆくインタラクティブな作品では、触覚と視覚、そして聴覚が連動し、身体そのものが浮遊するように暗闇に溶けてゆくようである。そして、時間の感覚も失って、ようやく暗闇の外に出る時、回復した日常に安堵し、今さっきの経験は何だったのかと、夢を思い出すように辿る。これは、自然の洞窟に入って、出る時の感覚と同じである。

暗闇に入ってすぐは、目が眩んで何も見えない。灯りを探し、ほのかにともる光源に見入る内に徐々に瞳孔が開いて、かすかな光に導かれるように進む。何かの中に入り込んだようである。しかし、そこは何時までもいられる快適な場所ではない。光が限られて、何かを渇望し、閉ざされた空間に押し込まれているような不快感を否定することはできない。やがて、一刻も早く抜け出したいと焦がれ、今来た道を、入ってくる時よりは、闇に慣れた目が様々なものを見分けて、そして、光の元に戻るのである。その時、大気にも色があることを私は知るだろう。緑がかった、多分木々の葉が反映しているような幽かな風合いであり、次の瞬間、全身が陽光に包まれて、日常へと帰還する。

私は長らく洞窟壁画を学んでいる。人間にとって芸術とは何かを考えるために、始源状態の美術を見つめている。フランスのラスコーやスペインのアルタミラなどの洞窟に入り込んで、暗闇に残された、1万年以上前に活躍したアーティストの作品を何十年も見続けてきた。それは、遙か彼方の時代に生きて制作した人々の存在を追体験することであり、作品を通して、時空を超えて作者たちとの交感を行っているのである。まさに感覚が充満する至福のひとときを、暗闇の中で過ごすのだが、何時までもその場所にいられるわけでもない。やはり、暗闇は特別な空間であり、知らぬ間に時も過ぎ去っているが、いずれは日常に戻らなければならない。その際に経験した光への憧れは、チームラボの作品を見終わった後に襲ってくるものとまさに同じものである。

ここで、洞窟壁画研究者としての私の直接経験について語りたいと思う。スペイン北部には多くの洞窟壁画が発見されているが、その中にラス・チメネアス（Las Chimeneas）洞窟がある。内部には縦に高く細長い部分が多くあり、それが煙突（chimenea）のようであるとみなして、その複数形が洞窟名になった。1953年に洞窟壁画が発見されたが、現在まで一般公開されたことがなく、洞内に照明施設もなく、真の暗闇の中、特別な許可を得て入る者は各自懐中電灯などの照明手段を携帯することになる。

私は、1983年に初めて入洞し、それ以降も何度も入ったが、黒一色で力強い輪郭線の動物像が多くあり、その統一感が印象的な遺跡である。ある時、私は近隣のサンタンデル大学の研究者とラス・チメネアス洞窟に赴いたが、もう一人、そこの管理者も加わり、計三名で、この複雑な形状の洞窟に入ったのである。しばらく、三人で作品について話をしながら見て回っていたが、ふと気付くと私はある動物像の前に一人佇んでいた。どこかからスペイン語で話す声が響いてきている。同行の二人が別の作品の前で熱心に議論しているのだろう。

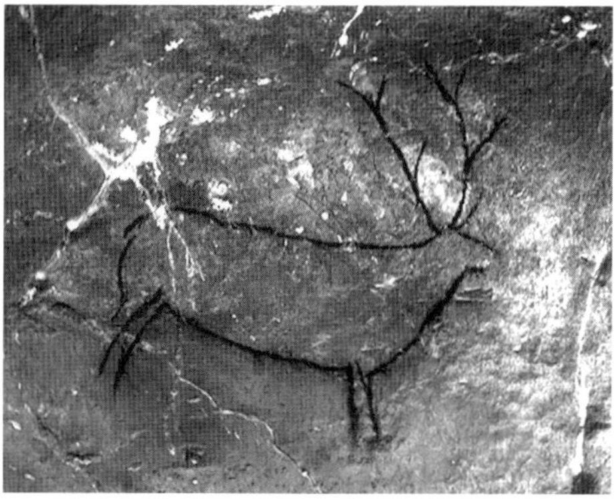

図1　ラス・チメネアス 右を向くシカ

黒一色のシンプルな輪郭線のみのオスのシカである（図1）。浅いお椀の内部のような場所で、軽く湾曲した岩面の中央に描かれている。私は、ふと思いついて，懐中電灯の「冷たい光」を消し、真っ暗にして、たまたま持っていたライターを取り出して、灯りをともしてみた（注1）。約15000年前の作者たちが、ろうそくの炎のような光源で制作していたことを知っていたからである。同じ条件のもと、どのような現象が生じるかを見たかったのである。そして、この「熱い光」によって私は驚くべき経験をしたことを、ここで明らかにしたい。「熱い光」は拡散光であり、炎の周り360度全体に光が及び、それは岩面に反射して戻ってくる。岩面は不規則な形状で様々な方向に光を乱反射し、それがまた別の岩面に当たって、更に反射する。最終的に、驚くべきことだが、光の塊がお椀の形状の岩面の内部の中空に出現したのである。しかも、この作品の力強い「輪郭線」はこの光の塊に一致していた。つまり「熱い光」によって岩面を照らして、このオスのシカを制作したアーティストは、約15000年前に私と同じ光の塊を見て、それを固定するかのように、決然と、何のためらいもなく、シンプルだが力強い輪郭線を引いたのだと、私は確信した。

私は、長年、岩面の自然の形状に動物などのかたちを見いだして、それをなぞることで洞窟壁画が制作されたという理論を提起しており、「統合論」と称しているが、それは洞窟壁画の迫真的な動物像のすべてに適用できると考えてきている（注2）。このオスのシカは、内側に湾曲しているが比較的平滑な岩面に線があり、一見すると「統合」の要素がなさそうに思われるが、「熱い光」を導入することで、岩面の形状を超越して作品世界が成就された例であるといえるだろう。この直接経験は、私の内部で確信として残りつつ、ただ一度の偶発的な現象を目撃しただけではないかという疑念も生じ、そのまま誰にも告げることなく数年が過ぎていった。

そして、再び、ラス・チメネアス洞窟に入る機会を得て、その際も、もちろん、複数のスペイン人同行者と一緒だったが、何とか、この作品の前で一人になる機会を得て、再び「熱い光」を灯したのである。そうすると、やはり前回と同じように光の塊が出現し、輪郭線も中空に描かれたかのように飛び出して、まさに、立体的なオスのシカが目の前を走っているかのように感じたのである。この輪郭線は、単純ながらも、動物の運動も表現しており、洞窟壁画がただの平面的なグラフィックな作品ではなく、実在するもう一つの世界であることを示している、と私には思われた。現象に再現性があることが分かり、15000年の時を超えて、私は、誰とも知れない作者たちと同じ経験を、このオスのシカという作品を通して、共有したのであり、同じホモ・サピエンスとして、かたちが与えてくれる喜びを強く感じたのである。

チームラボはその作品の中心的概念の一つに「空書」を提起している。それは東洋の文字などを「超主観空間」に表現して、平面と立体に明瞭に区別できない場を提起しているのではないか、と私は理解している。それは新たに作り出された、もう一つの現実であり、常に揺らぎ続けるかたちに明確な「輪郭線」はないようである。一方、ラス・チメネアス洞窟のオスのシカの「輪郭線」は、まさに、中空に浮かぶ別の実在物の周囲に描かれた線であり、無関係ではないのではないか、と私としては考えている。観者は「輪郭線」を引く誘惑に駆られるのである。「輪郭線」のみならず、線一般に関しても、それは何かを固定する足枷ではなく、それ自体が動く力の現れであると、洞窟壁画を学ぶ私は常日頃から考えている。そして、最近になって、人間が「輪郭線の発明」に至ってはじめて、美術が誕生したのではないかという理論を構築しようとしているところである。最初の美術は約35000年前、人間が作り出した最初の美術作品群である、フランス南部のショーヴェの洞窟壁画に見いだせる。

ホモ・サピエンスは30～20万年前にアフリカのどこかで誕生したと考えられているが、まだ定説がなく、私たちは自分たちの起源も、まだ知ってはいない。先史時代の美術の専門家の一人は、ホモ・サピエンスが発生した時すでに美術を有する存在としてあって、美術は単純なものから徐々に進化して約35000年前に極めて複雑な洞窟壁画に到達したと考えている（注3）。ただその作品が残っていないだけで、洞窟壁画のようなクオリティの高い芸術作品が、突如出現するはずがないというのである。しかし、私は、かねがね「芸術ビッグバン論」を展開していて、美術ははじめから完成した姿で現れるべきものだと主張している。

フランス南部、アルデシュ渓谷において1994年に発見されたショーヴェの洞窟壁画では、多重輪郭線で、サイの運動を表現しようとした作品など、極めて多様な作品群を見いだすことができる（図2）。他にも、

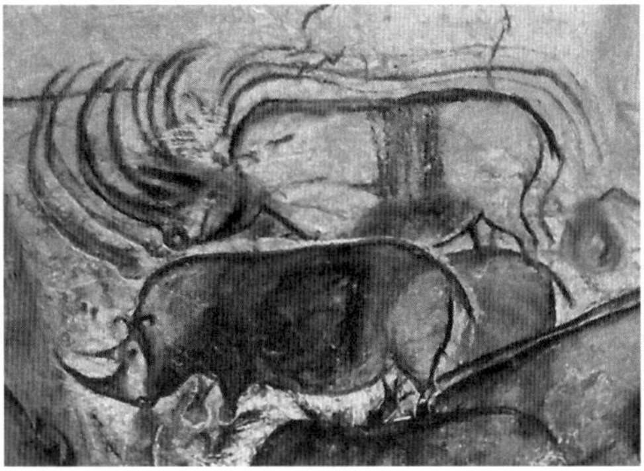

図2　ショーヴェ　多重輪郭線のサイ（上）
（撮影 J. Clottes　©Ministère de la Culture）

自然の直角に曲がった岩面の片面に、頭部を正面から描き、別の面に胴体を横から見たよう表したビゾンなど、様々なチャレンジが見いだせる（図3）。更に、ドットの集積でビゾンの胴体のボリュームを強調した作品など、多彩さがこの36000年〜32000年前という制作年代の、人類最初の芸術の際立っているところである（図4）。何事に付け、最初の場合、決まった手順などはなく、様々な企てが試みられて、結果として、いわば、何でもありという状態になるのではないだろうか。色々なことに挑

図3　ショーヴェ　直角面に制作されたビゾン（野牛）
（撮影 J.-M. Geneste　©Centre national de préhistoire / Ministère de la Culture）

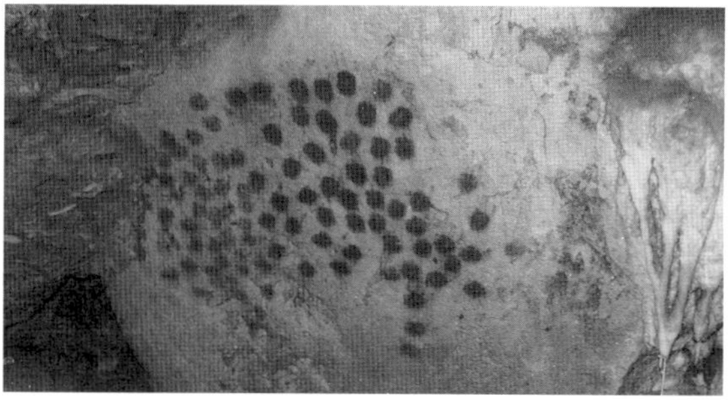

図4　ショーヴェ　ドット集積によるビゾン
（右を向いているが、頭部は明確に表現されていない）
（撮影 V. Feruglio　©Centre national de préhistoire / Ministère de la Culture）

んでいる中で、徐々に、目的に最適な方法が一つに収斂して、いったん確立したらそれがずっと持続することが多いのではないだろうか。

この赤い輪郭線のクマは、左に向かうゆったりとした、この獰猛な動物の歩みが感じられる（図5）。顔の部分は反対の耳も見えて、ある程度立体的に表現しようとする志向が見いだされ、また、鼻の部分の手のひ

図５　ショーヴェ　左に進むクマ
（撮影 V. Feruglio　©Ministère de la Culture）

らでこすりつけたような赤色が、顔の精悍な表情を醸しだしている。輪郭線は、肩からお尻の部分にかけて、緩急自在なリズミカルな調子に満ちていて、何の迷いもない力強い線が、クマの躍動感を演出しているかのようである。人間が約 35000 年前に引いた線である。その後、洞窟壁画も含めて、現在に至るまで、輪郭線が対象の描写の基本的な方法となり、これにより、人間は美術の歴史を築き上げてきたのである。

もとより、自然には輪郭線がないのは自明のことである。レオナルド・ダ・ヴィンチは、自然観察の結果、そのことを強く意識して、晩年になるにつれて、スフマート技法などを駆使して、輪郭線が目立たないような表現を目指したが、追随するアーティストには必ずしも、受け入れられなかった。世界を理解するために、線を引くことの誘惑には勝てず、「輪郭線の呪縛」から逃れることができなかったのだろう。線描は、美術のもっとも基本的な条件であり続けている。私は、このショーヴェにおける表現性の多様性と、輪郭線のみが生き延びたという認識から、「輪郭線の発明」こそが美術の起源ではないかと、考えるに至っている。

ある事物を意識の中に再現しようとする表象は、別に実際の空間や、絵の具などの材料がなくても、人間には瞬時に可能である。思い起こせばよいだけのことである。しかし、約35000年前のあるとき、洞窟の暗闇で、ランプに照らされた岩面に、狩猟などで観察していた動物を見立てることができたからには、「輪郭線」を引くことで、その生命を永遠の中に取り込むことになったのではないだろうか。自分自身が自在に世界を眼前に生成させることができると経験してしまえば、後はずっと「輪郭線」を引き続けるだけのことではないだろうか。これが、長年にわたって美術の起源を探求してきた私の、今現在の結論である。

チームラボの作品の中に入ることにより、私は芸術が生成する現場を経験する。前期展示作品の一つ《生命は生命の力で生きているII》(004頁参照)は季節の移ろいの中で回り続ける輪郭線が、生きることを讃えている。また、《Dissipative Figures – Human, Light in Dark》(021頁参照)では、果てしなく生成し続ける線が、人間の姿として現れる瞬間、瞬間を私は経験する。私はそこに「輪郭線」を探している。まさにアートが作り出されている現場に立ち会っているのである。後期展示作品からは《憑依する炎》(026頁参照)に、私は上で述べた「熱い光」を感じることができた。炎はこれまでもこれからも一度たりとも同じかたちになることはないが、光源としては、すべてのものを照らし、暗闇では、不定形の炎が、不定形の岩面に乱反射して、逆説的に確固とした光の塊を現出させ、洞窟内部の岩面には、躍動する動物像をもたらしたのである。

チームラボの作品は輪郭線の発明を繰り返し追体験させる時空間であり、それを最新の常にアップデートされたテクノロジーで実現していることも、アートの中心を邁進している理由なのではないか、と私は評価している。美術の基本は輪郭線を発明したことにあるだろうが、その後数万年間にわたって、アーティストはその時代の最先端の技法を取り込んで、その時代の表現を追求してきた。チームラボもまた、これからも飽くなき探究心で様々な方法を取り込んで行き、誰も見たことのない世界を、更に私に見せてくれることだろう。美術は、知識により対象を説明することではなく、また、世界を感覚的に解釈することでもない。観ることを享受する受け身だけのものでもなく、その中に誰もが入り込んで、身体全体で直接的に経験することなのである。

注1　小川勝、「ラス・チメネアス（サンタンデル県）洞窟壁画における直接経験：美術作品研究の出発点として」、『スペイン・ラテンアメリカ美術史研究』、第7号、2006年、23-28頁。

注2　Masaru Ogawa, Integration in Franco-Cantabrian Parietal Art: A Case Study of Font-de-Gaume Cave, France Aesthetics and Rock Art (eds. By Heyd, T. & Clegg, J) , Ashgate, 2005, pp. 117-129.

注3　タホフォノミー　taphonomy は「化石生成論」と訳すことができる概念であり、ホモ・サピエンス初期の美術は残っていないだけで、単純なものから徐々に複雑なものへと「進化」したと考えている。私は、美術を考えるに際して、残っていないものを想定して議論することはできない、という立場を堅持している。

Bednarik, R. G., A taphonomy of palacoart, Antiquity 68. 258 (1994), pp. 68-74.

色即是空の海月島のメッセージ

▶鎌田東二　KAMATA Toji

1951 年徳島県阿南市生まれ。國學院大學文学部哲学科卒。同大学大学院神道学専攻博士課程修了。岡山大学大学院医歯学総合研究科社会環境生命科学専攻博士課程単位中途退学。宗教哲学・民俗学・比較文明学専攻。博士（文学・筑波大学）。京都大学名誉教授。石笛・横笛・法螺貝奏者。フリーランス神主・神道ソングライター・吟遊詩人。著著『神界のフィールドワーク』『翁童論』4 部作『宗教と霊性』『呪殺・魔境論』『世阿弥』『言霊の思想』『悲嘆とケアの神話論』等

1. 摩訶不思議　色即是空の　波の果て

チームラボは、存在論的展開に発する認識論的革命を、大胆不敵かつラディカルに、またアバンギャルドにアート表現しつづけている大変面白い集団である。

チームラボのコンセプトは、惑星的なオントロジーの中にある。それを、「私という存在は、心と体とそれらと連続する環境によって創られている。」と命題化した。それがチームラボのフィロソフィー、である。

これを私の解釈を加えてパラフレーズすると、次のようになる。

❶ 存在はボーダレスである。

❷ ゆえに、本来、根本的に、対立・分断・闘争・相克ではなく、融合・和睦・相生のダイナミズムをうんできた。

❸ それを、アジアは、不二相即の哲学として、「色即是空・煩悩即菩提・魔仏一如」などと表現してきた。

❹ しかし、モダンは、最大最強の二元論哲学・科学・文明を構築し、その破局的現在進行形が今、である。対立・分断・闘争・相克、食いつぶしは果てしなく、人類は史上最大の危機に直面し、生命圏も多大なダメージを受けて傷を深くしている。

けれども、ボーダレスの「むすひ」(日本神道の根本概念)と「諸行無常・縁起」(仏教の根本概念)は、そのような現象的事態にあっても、そのボーダレスなオントロジーを展開しつづけるだろう。

❺ なので、根本的には何の心配もない、とも言えるが、しかし、この惑星上の諸存在の絶命や消滅や破壊を考えると、切迫した切実な状況下でボーダレスのオントロジー哲学のアート的表現とメッセージ的訴えは時代の要求である。

❻ だからこそ、モダンとポストモダンとのボーダーを接続即越境する「チームラボ 無限の連続の中の存在」展(於:姫路市立美術館、2023年)を企画実施した。

近代は資本主義・自由主義であろうと、社会主義・共産主義であろうと、競争と闘争の全面対立(世界戦争)を激化させてきた。その闘争は、グローバル化し、地球全体を覆い、生命圏を脅かし、人間圏と生命圏と大気地球環境圏の相克を破壊的なまでに推し進め、絶体絶命の崖っぷちに追い込んでいる。

2. あらふしぎ　くさきもこくども　みなほとけ

そこにおける解決策は、政治的には絵に描いた餅ではあってもグランドデザインは誰しも思い描ける。世界平和に至る紛争解決や和解・和睦に向けての国際対話と協力しかない。

みなそれを必要とし、求めている。お題目や空念仏のように、それを称えることはできるし、建前的には多くの人が公共空間の中で、そのような大命題を語る。

では、なぜそれができないか？　自己保存（それが、個人であれ、一族であれ、一企業であれ、一民族であれ、一国家であれ、それらの複合体であれ）とサバイバルと利益獲得供与の熾烈で利己的な奪い合いの閉じられた輪の中にあるからである。そこから抜け出すことも、超越することも、隠遁することもできずに、破局の津波に巻き込まれ、投げ込まれ、あがいているからである。このまま行けば、かなりな大破局、破滅、絶滅が大規模に連鎖反応的に起こると多くの人々が感じとっている。

だが、歴史をひもとけば、そのような末法的・世紀末大危機の中で、新しい宗教意識と芸術的創造活動が緊張感とダイナミズムをもって勇敢に登場してきた。それがたとえば、日本では鎌倉仏教であり、能やお茶であった。そして、その新しい意識と運動のほとんどが比叡山を通過しつつ、比叡山とのレスポンスとフィードバックとの緊張の中で生み出されてきたことを知ることになる。そしてその新しい仏教意識と仏教運動は、末法の破局的な闘争と疾病と災害・災厄の現実的現象と問題をどう捉え、どう救済への道筋をつけるかという時代的要求へのリスポンシビリティ（応答可能性・責任）として出てきた。

その基盤にある天台思想が、天台本覚思想と呼ばれる大乗仏教・密教思想である。それは、簡単に言うと、自己も世界も単純に分けることのできない連続線と接続面と円環的連鎖の中にあるという存在論である。

それは、分別（分けること、個別化・特殊化する方向、科学も利己主義もここに立脚する）的・二元対立的世界観であり、構造を超える。

それに対して、本覚思想は分別を成り立たせる無底的な前提・前段に、無分別があり、それが、「一念三千・諸法実相・草木国土悉皆成仏」という認識論と存在論になっている。心の一念の意識やイメージはそのまま網の目のようにつらなり（『華厳経』的表現では「事事無碍・重重帝網〈インドラネット〉」）合っていて、ホログラフィックにもリエゾン的にもなっている。だから、そうした境界の無さこそが、ありのままの存在の実相である真如なのだ。

ゆえに、そうした存在認識に至れば(「一仏成道観見法界」ほとけとなって心理の世界をありのままに観れば)、草木も国土もみな悉く成仏する。この存在認識論をベースにして、時代の苦悩と救済の要求に応えていったのが鎌倉仏教の宗祖たちのリスポンシビリティ(応答策)であった。

3，密と顕、可視と不可視の　うらおもて

2020年から2023年半ばでのコロナ禍にあった時、「3密回避（密閉・密集・密接）を避けて、マスクをつけ、車間距離のように2メートルの間隔を置くように奨励され、強い行動制限を受けた。それが感染流行を防ぐ行動様式として押しつけられた。その「ソーシャル・ディスタンス」なるものの強制的推奨は、存在実相のボーダレス ── 網の目 ── つなぎ目が見えないほどの繊細微妙な連続性から、完全に乖離した世界観と距離観と政策であった。

私は強烈な違和感を感じつづけ、存在実相は、「三密加持」にあることを、いろいろな機会に主張したが、この「ソーシャル・ディスタンス」のグローバル化の世界状況では全く届かなかった。

「三密加持」は空海の提唱した真言密教も主要理論書である『即身成仏

義』の中で、「如来の大悲と衆生の信心とを表す。仏日の影、衆生の心水に現ずるを加といひ、行者の心水、よく仏日に感ずるを持と名づく。行者もし能くこの理趣を観念すれば、三密相応するが故に、現身に速疾に本有の三身を顕現し証得す」と述べられている。つまり、「加持祈祷」の「加持」とは、大日如来の光が衆生＝行者の心に映じるさまに感応して、その本質的「理趣」を「観念」すれば「三密相応」して、「現身」にすぐさま法身・報身・応身という「本有の三身」を顕現・体得・証明する、すなわち、「即身成仏」すると言う。そしてそれを次のように詩的（頌歌して）に表現した。

六大無礙にして常に瑜伽なり　体
四種曼荼は各々離れず　相
三密加持すれば速疾に顕わる　用
重重帝網なるを即身と名づく　無礙
法然に薩般若を具足して
心数心王刹塵に過ぎたり
各々五智無際智を具す
円鏡力の故に実覚智なり　成仏

── 地水火風空識の宇宙を構成する根源要素は互いに連続しつらなりあっている。また、各種のマンダラ形態も不可分につながっていて分けることはできない。ゆえに、「三密加持」すればすぐにその不可分の状態に立ち返ることができ、その存在の網の目を辿ればすぐさま即身に大日如来に到達できる。そのような智慧をみな本来宿しているのだ。その智慧の拡充放射とそのネットワークの神秘真髄をインターネットできれば、みな「実覚智」（本覚）を得て「即身成仏」できるのである。

空海のもう一つの主著の『秘密曼荼羅十住心論』でも、ひとまず心・意識の位相は十の段階に分けて説くこともできるが、しかしそれらはみな発出元の大日如来の至奥・至極の「秘密荘厳心」につながっていて、融合可能・一体化可能であると述べている。

この「さんみつ・かじ」と「さんみつ・かいひ」は、極めてよく似た発音と響きを持つが、世界の両末端のように、無限遠点のようにかけ離れている。これほど異なった世界観の乖離が顕在化したことに、私はむしろ時代の必然と方向性と可能性を強く感じたのである。つまり、「3密回避」から、「三密加持」のボーダレス化の方向への「密入」への要請とベクトルを。

ソーシャルディスタンスとは、車間距離のような物理的距離、つまり、フィジカルディスタンスである。空気中を流れていくエアロゾルの動きで力学的に計算できる世界。しかし、こういうフィジカルかつソーシャルなディスタンスというのは、じつは、根底的には、私たちの生活基盤をなすエコロジカルな関係性の中に置かれている。これが大きく環境となる。そこに生業《なりわい》が起こり、生業の中で必ずコロナのような災いが起こり、災いをいかにして「幸わい」に変えていくのか、という模索と探究の中で宗教が生まれる。が、宗教もまた災いを引き起こすことがある。そして、奇妙な襷掛け状態になって「いのち」をがんじがらめに束縛し、抑圧し圧殺しているのが、現代世界のリアル現実である。

根底的には、エコロジカルディスタンスに「いのち」は関わっているが、今や、フィジカル、ソーシャル、メンタル、スピリチュアルの関係性とグラデーションの中でぐちゃぐちゃである。であっても、考えなければならないのは、ソーシャル・ディスタンスの制限があろうと、メンタル・ディスタンスは制限できないということである。心の自由は、距離があって、距離がない。さらには、スピリチュアル・ディスタンスはいっそう時空や次元を超えて自在に成り立つ。伝教大師最澄や弘法大師空海と対話することも可能だ。霊界通信も。ヨガ行者も神道の神主も卑弥呼も、死者や宇宙人や異界存在との交流対話とかも含めて、諸種のチャンネルを開いて交流・交換をしてきたのが人類のメンタルかつスピリチュアルディスタンスの挑戦と冒険であった。

そういう歴史を見ると、スピリチュアルな世界というのは、人間世界の中で最も自由な無境界的領域で、その隣のメンタル・ディスタンスはもうちょっと体に密着しているためにより制限を受けている。

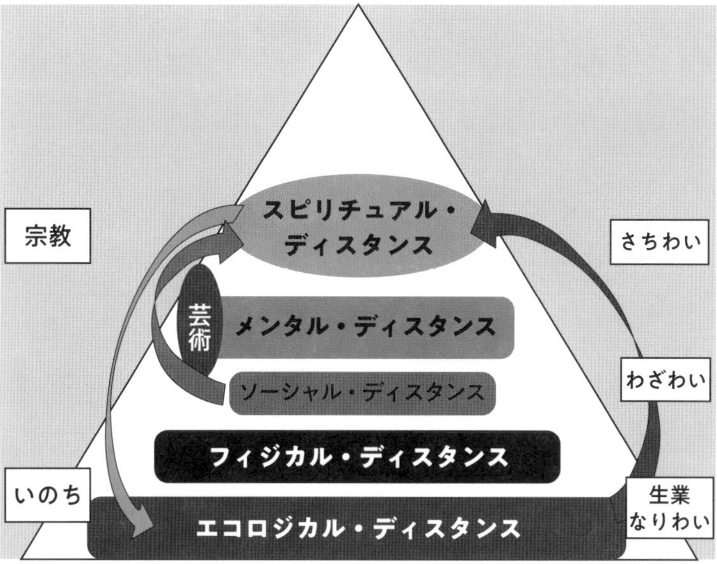

エコロジカル・ディスタンスとソーシャル・ディスタンス～生態学的距離と社会的距離

こういう構造の中で、エコロジカル・ディスタンス、ソーシャル・ディスタンスという次元がもっと広いメンタルやスピリチュアルなディスタンスの世界とどう循環していく必要があるかというのが、私にとっての「いのち」の声を聴くという課題となる。フィジカルやソーシャルなレベルで「いのち」の声を聴く。また、メンタルやスピリチュアルなレベルで「いのち」の声を聴く。それらの根っこ、基盤にエコロジカルなレベルで「いのち」の声を聴くことがある。これらが全部上手くつながっていくことが deep listening 深窓的存在傾聴で、その感性を磨かねばならない。

そんな思いの中にある時に、このチームラボの展覧会への招待が届き、この１年がかりで私たちが行なってきた「顕神の夢」展（注１）とのシンクロニシティ（同期性）を感じ、これからの方向に確信を持った。

さて、一方、私たちは、2007 年に設立した「京都伝統文化の森推進協議会」という活動を続けている。東山三十六峰の中の国有林の一部を林野庁の許可を得、林相改善を進めて、東山を皮切りに、北山、西山全体を共生の森に維持していこうと計画している。この京都三山が安定し整わないと、今後の京都の生活基盤は安定しない。安心も安全も担保されない。

この東山三十六の第一峰が北嶺で天台密教の牙城の比叡山延暦寺（一乗止観院）である。（同会編『京都の森と文化』ナカニシヤ出版、2020 年３月刊を参照されたい）

この比叡山の神は『古事記』に、「大山咋神《おほやまくひのかみ》、またの名は山末之大主神《やますえのおほぬしのかみ》」、「近江国の日枝の山に鎮座し、鳴鏑《なりかぶら》を用つ神」と特筆表記されている。この「大山咋神＝山末之大主神」が延暦寺の本尊の薬師如来と習合することによって比叡山が京都を守護してくれるのだと、都人に安心を与え、神仏習合の護国の安心装置の中で千日回峰行が始まり、回峰行者は御所の中まで行って天下の御祈祷をするという修法が生まれた。

そして、こういう神仏習合の宗教文化の中に、東山三十六峰の第二峰の御蔭山（御生山）の麓に下賀茂神社の奥宮の御蔭神社、三十六峰南端の稲荷山を始め、上賀茂神社（賀茂別雷神社）、下賀茂（賀茂御祖神社）がある。

日本はこの惑星内で、4つのプレートが重なっている国で、地質的にはもっとも無境界の習合的島嶼列島で、火山も111あり、活発に活動し、水も豊富である。もちろん、そのために自然災害の頻度も世界一であるが、『古事記』には、その列島の古称を、「くらげなす漂へる島」と明確に記している。海月のようにぷかぷか、ふわふわ浮いている島、それが日本列島なのである。それを別の角度から見ると、「豊葦原瑞穂国」となり、豊かな穀物も実る多様な「大八島の国」となる（注2）。

国内外に根源的で大規模で深刻な大破局的危機が広がり、深刻化している中、世界を別種の密語暗号系と感受する無境界オントロジーアートを展開するチームラボの多様でいのちのいぶきと声を問い直す実験的試みは勇気と突破口を与えてくれる。

南無不思議　海も空も　あお一面

注1　「顕神の夢」展は、2023年4月24日から2024年2月24日までのほぼ1年間、全国5カ所の公立美術館（川崎市岡本太郎美術館、足利市立美術館、久留米市美術館、久万町立美術館、碧南市藤井達吉現代美術館）で展示され、大きな話題を呼んだ。

注2　鎌田東二『現代神道論 ── 生態智と霊性の探究』春秋社、2011年。同『古事記ワンダーランド』角川選書、KADOKAWA、2012年。同『世直しの思想』

春秋社、2016年。同『予言と言霊　出口王仁三郎と田中智学 —— 大正10年の言語革命と世直し運動』平凡社、2024年。

そこに坐れ

▶大樹玄承　OKI Kenjo

1956年生まれ。書寫山圓教寺第141世長吏。塔頭仙岳院住職、置塩山法界寺兼務住職。姫路観光コンベンションビューロー理事、姫路市文化財保護協会理事、更正保護法人播磨保正会評議委員、西国三十三所札所会副会長、宗派を超えてチベットの平和を祈念する僧侶の会副代表、姫路RC会長。

世界中で活躍しているチームラボが、このような山寺で何を見せてくれるのか、「オールひめじ・アーツ＆ライフ・プロジェクト」が決まった当初から、期待で胸が躍るようでした。姫路市立美術館を中核としての「オールひめじ・アーツ＆ライフ・プロジェクト」の共催3年目である2023年。猪子氏には書寫山《しょしゃざん》に何度も足を運んでいただき、山の霊気を全身で観じた上での圓教寺《えんぎょうじ》でのテーマは「認知上の存在」と聞き、これは深いことになりそうだと一段と期待がたかまりました。

書寫山圓教寺は性空上人を開基とし、上人の御入山は康保3（966）年ですが、抑もは素盞烏命《すさのおのみこと》がこの山頂に降り立ち給い、一宿された故事にちなみ素《す》盞《さ》ノ《の》杣《そま》と呼ばれた霊山が始まりです。書寫山圓教寺の名を花山法皇から賜るまでは「書写寺」と呼ばれ、天台宗の学問と修行を双修する道場であるため「西の比叡山」とも呼ばれ仰がれてきました。

この度チームラボの作品を展開した「食堂《じきどう》」（国指定重要文化財）は

圓教寺の西谷に位置し、三之堂《みつのどう》を構成する伽藍のひとつで、後白河法皇の勅願により創建されました。現在の建物は室町時代のもので、僧侶の学寮（学問や寝食の場）として使われ、圓教寺の中でもまさに学問と修行を双修する道場になります。二階建の仏堂としては日本の指定文化財の中で最大規模であるこの食堂の１階を会場に、チームラボは「認知上の存在」というタイトルで《質量のない太陽､歪んだ空間》（042頁参照）、《我々の中にある巨大火花》（044頁参照）の２作品を展示しました。別名長堂とも呼ばれる、横に40メートルもの長大な食堂だからこそ実現できた作品ではないでしょうか。

当初､世界中で展開されているチームラボの作品を想像していた私は、この度の圓教寺でのチームラボの作品に、意外性を持って非常に挑戦的で且つ静謐なものを感じました。それは彼らの作り出すアートの中に一歩足を踏み込むことで、観覧者一人ひとりが驚き、考え、自分自身を疑うという、心に深く沈潜していく仕掛けが為されているものでありました。

《質量のない太陽、歪んだ空間》は青白い空間の中、真ん中に白い光の球体が出現しており、光が固まってこの空間に存在している、ように見える。「ように見える」と書いたのは、姫路市立美術館との共催という立場上、あらかじめそこには球体の実体は無いと説明を受けていたからです。

発光しているのなら光はまっすぐ進むはずです。物理の法則上ありえない事は理解しながら今私は光の塊を見ています。ではこの光の塊は何だろうか？　実際には存在していないにもかかわらず私にはそれが球体に見えます。その時、人はもはやこの球体を存在していると思ってしまいます。

《我々の中にある巨大火花》も、初めて見た時は赤い光源があるだけのように見えました。しかししばらく見ていると、光の線が線香花火のようにチッチッと増えていきます。やがて線群となり、それが壁一面に膨らむ。目を閉じ、開くとまた小さな光源だけになる。が、すぐに大きな光の花に戻る。大きくなったり、小さくなったりする。《質量のない太陽、歪んだ空間》同様、光線が途中で止まる、という事は物理の法則上あり得ないのではなかったのか。だが認識上は存在している。私の頭の中は目まぐるしく動き混乱しています。これはもしかすると人それぞれの網膜の傷に反応しているのではないかと気付きますが、本当のところはわからない。私には物理はもちろん医学の知識もありませんが、もしも各人の網膜の傷に反応しているのなら、隣の人の見ているものと私が見ているものは違うのではないか？　という疑問が湧いてきました。同じものを見ていたつもりが、実は違ったものをズームしていた。ズームしたモノが違えば、行き着く先は自ずと異なります。今見ている光の塊は、私たちの存在するという「絶対」の認識は、「仮」に他ならないのではないでしょうか。

仏教語に「虚空華《こくうげ》」という言葉があります。
空華《くうげ》とも言い、いかにも美しげな文字ですが、仏教語辞典に拠ると眼疾の人が誤って空中に花があると見るように、実体のないものを観念のうえに描き出すことをいいます。「目を病んだり、目に翳のあるとき、空中に幻のように花を見ることがある。それと同様に、自己の中に常住する我を見、存在するものの中に実体があると見るのを『空華を見るがごとし』という（中村元仏教語大辞典)」とあります。
《我々の中にある巨大火花》では、一度目を閉じ、もう一度見ると小さな光源だけに戻っていますが、すぐに元の大きな光の花に戻っている。

一度認識すると再現性のある仕掛けのようです。いや、仕掛けではなく人間の生理なのでしょうか。つまり、一度こうと思い込んだら、そのように見えてしまうのです。

光の塊は、身体を移動させれば違う光り方に変化します。あらかじめ光の塊など存在していない事をたね明かしされていたにも拘らず、あたかもそれは物質的に存在しているように認識し、認識上存在するならば私にとって存在そのものであり、もともと存在していても認識しなければ存在しないのと同様なのです。

卑近な例ですが、抽斗の中の物や冷蔵庫の中の物を探すとき、有るはずなのに無いという経験があります。これは「無い」のではなく見つからないのですが、私たちは「無い」と思い込みます。有るのに無い、無いけれど有る。有るはずなのに見えていない、無いものを有ると思い込む。これはまさに「空華」で、自己の中に常住する我を見、因縁によって生じる諸々の事象を実体と見ているのです。

猪子氏に「そこには球体はないのです」と本来無実体である事をたね明かしされていながら、現象世界を観、認識する。頭の中は惑乱されながら、なまじ坊さんのために「空」だの「諸法実相」などが飛び交う。私を含めた観覧者は当事者となり、一人ひとりが新たな景色を創り出し、様々な様相が展開され、すでに作品と参加者は対峙することはなくなり光の塊そのものになっています。私たちの身体は宇宙いっぱいに造形され作品となっていく。空華は「まこと」そのものに昇華したのです。

これまでも世界中で人々を惹きつけてきたチームラボの今回の仕掛けには、食堂に於いてあたかも坐禅堂のようで、応にただひたすらにそこに坐れと言われているようでした。私たちは瞬きさえさせてもらえない、吸い込まれていくような感覚を楽しみました。

書寫山圓教寺について

書寫山圓教寺 三之堂 食堂（提供：姫路市）

書寫山圓教寺は、別格本山の寺格を誇る天台宗の古刹で西の比叡山とも称される。境内は、姫路市の中心市街地より北西約7キロメートルに位置する標高371メートルの書写山の山上にあり、31ヘクタール余りの広大な敷地は国の史跡地に指定されている。

圓教寺の縁起については『播磨国飾磨郡圓教寺縁起等事』（以下『延照記』）や『朝野群載』などに詳しい記述がみられる。これらによると、性空上人が日向国霧島山、筑前国背振山など九州で修業を積んだのち、康保3（966）年に、書写山の草堂に移り住んだことが始まりとされている。しかし、性空が来住した時には既に同地に草堂が存在したということからもうかがえるように、信仰の場としての書写山の歴史は性空の入山以前に遡るもので、古来より山林修行の場であったと考えられている（注1）。また、『一乗妙行悉地菩薩性空上人伝』や寺伝によれば、山内の桜の木に天人が舞い降りる姿を見た性空が、彫像に秀でた弟子の安鎮に命じて天禄元（970）年にその生木の桜に如意輪観音の像を刻ませ、そこに堂を建てたことが現在の摩尼殿にあたる如意輪堂の創建であるという。

一つの草堂から始まった書写山は、寛和元（985）年に播磨介となった藤原季孝が性空に帰依して法華堂を造立したことや、寛和2（986）年に御幸した花山法皇が「書寫山圓教寺」という寺号を与え、その翌年には法皇の寄進を基に講堂が造立されたことなどを契機に、書寫山圓教寺として発展の道をたどる。現在も大講堂に安置されている釈迦三尊像と四天王立像は、上述の講堂建立に併せて造立されたものと考えられる。また、常行堂の本尊である丈六の阿弥陀如来坐像も、『延照記』中の記述や像の造形的特徴から、性空の存命中である寛弘２（1005）年頃に先述の安鎮によって造像されたと考えられている。他にも、性空の生前にある程度の伽藍の整備も進み、常行堂、真言堂、一切経蔵、不断経所、鐘堂、山王院宝殿などが建立されていた（常行堂のみ今も存在するが、現在の堂は享徳２〈1453〉年に上棟した３代目の建物）。

性空の没後も、後白河法皇をはじめとする天皇家や多くの公家・武家の崇敬を集め、最盛期の境内には多くの堂宇が建ち並んでいたと考えられ、16世紀後期には少なくとも70程度の子院が存在していた（注2）。また各種資料からは、平安時代以降明治34(1901)年までの間には延べ300以上の院坊号が存在したこともうかがえる（注3）。今でも境内には、室町時代から江戸時代かけて造立された建造物が多数現存しており、そのうち９棟が国指定重要文化財、その他９棟も県指定文化財となっている。

「チームラボ 圓教寺 認知上の存在」の会場となった食堂は、本堂にあたる大講堂、常行三昧という修行を行うための堂である常行堂とともに三之堂を形成する堂である。食堂は修行僧たちが寝食を行う学寮であった建物で、後白河法皇の勅願により承安４(1174）年に造営が始まった。現在の堂宇は２代目にあたり、暦応元（1338）年に上棟と伝わるが、その建築様式から、室町時代中期に建てられたと考えられている。桁行15間・梁間４間・総二階造、内部は両階とも広大な１室の長大な建築で、２階建の仏堂としては国内最大規模かつ他に類例をみないもので、大講堂・常行堂とともに国の重要文化財に指定されている。

文責　紅林優輝子（姫路市立美術館学芸員）

参考文献

・兵庫県立歴史博物館編、『開館三周年記念特別展――1000年の歴史を秘める――書写山円教寺』、兵庫県立歴史博物館、1986年。
・大手前大学史学研究所「中世山寺と地域社会」プロジェクト編、『播磨六箇寺の研究Ⅰ――書写山円教寺の歴史文化遺産(1)――(大手前大学史学研究所オープン・リサーチ・センター研究報告第11号)』、大手前大学史学研究所、2013年。
・大手前大学史学研究所「中世山寺と地域社会」プロジェクト編、『播磨六箇寺の研究Ⅱ――書写山円教寺の歴史文化遺産(2)――(大手前大学史学研究所研究報告第14号)』、大手前大学史学研究所、2015年。
・姫路市史編集専門委員会、『姫路市史　第二巻　本編　古代 中世』、姫路市、2018年。

注１　姫路市史編集専門委員会、『姫路市史　第二巻　本編　古代 中世』、姫路市、2018年、167頁。

注２　大手前大学史学研究所「中世山寺と地域社会」プロジェクト編、『播磨六箇寺の研究Ⅰ――書写山円教寺の歴史文化遺産(1)――(大手前大学史学研究所オープン・リサーチ・センター研究報告第11号)』、大手前大学史学研究所、2013年、23頁。

注３　大手前大学史学研究所「中世山寺と地域社会」プロジェクト編、『播磨六箇寺の研究Ⅱ――書写山円教寺の歴史文化遺産(2)――(大手前大学史学研究所研究報告第14号)』、大手前大学史学研究所、2015年、275-295頁。

対談　**Dialogue**

TATEHATA Akira ⇔ FUDO Misato

今、チームラボを読む
──コンセプチュアルな実験を超えて

▶建畠 哲　TATEHATA Akira

美術評論家、詩人、埼玉県立近代美術館館長、全国美術館会議会長。京都に生まれる。1972 年早稲田大学文学部仏文学科卒業。詩集に『余白のランナー』(歴程新鋭賞、思潮社)、『零度の犬』(高見順賞、書肆山田)、『死語のレッスン』(萩原朔太郎賞、思潮社)。評論・エッセイに『問いなき回答』、『未完の過去』、『ダブリンの緑』(以上、五柳書院) など、チームラボ論に「現代美術・美術館論の領域からチームラボを読む」(『チームラボ 永遠の今の中で』、青幻舎) がある。

▶不動美里　FUDO Misato

姫路市立美術館館長。京都市生まれ。1985 年大阪大学文学部美学科卒業。1985 年度スペイン政府給費生 (UCM 美術学部)。岐阜県現代陶芸美術館学芸員、金沢 21 世紀美術館学芸課長を経て、2013 年より姫路市立美術館副館長、2022 年より現職。共著に『芸術環境を育てるために』(角川学芸出版)。チームラボ論に「Alternative Horizon 〜 もうひとつの地平線」(『チームラボ 永遠の今の中で』、青幻舎) がある。

建畠　姫路市立美術館と書寫山圓教寺《しょしゃざんえんぎょうじ》で開催された今回の二つの展覧会を通じて、我々はチームラボからどのようなメッセージを受け取るのかという観点から考えてみたいと思う。言うまでもなくチームラボはプロパガンダ集団ではないので、何か特定のメッセージを掲げているわけではないけれど、一方で、チームラボは確かにいくつものキーワードのようなものを提示していて、我々一人ひとりは彼らの作品からさまざまなメッセージを受け取るのですから。

不動　「ボーダレス」「超主観空間」「認知上の存在」「環境現象」といったチームラボのキーワードは、彼らの創造行為の根源的なテーマとして提示されていますね。チームラボの活動においては、彼ら自身のミュージアムの名称にも使われたり、展覧会名や作品タイトルにも登場する。現代の美術作品には文学性や言語表現がもたらす意味を排除するべく無題、あるいは何らかの記号の類がタイトルとして表記されるものも多いわけですが、言語で自己言及的にコンセプトを提示するチームラボのスタイルは特徴的ですね。

建畠　チームラボは、数あるアート・コレクティブのなかでもエンターテインメント性を強く感じさせます。だからこそ、非常に多くの人たちに親しまれ愛されているわけです。しかし誤解してはならないのは、彼らはエンターテインメント性を自己目的的に追求している集団ではないということです。チームラボは、多くの人たちとコミュニケーションを図り、親密なコネクションを得るための有効な方法の一つとして、エンターテインメント性を用いているのではないかと僕は考えています。

不動　彼らは発足当初から一貫して独自の表現手法である「超主観空間」の創出によって「ボーダレス」な世界観を追究しているアート・コレクティブだと思います。しかも万人に開かれた創造の場を創作することを志向していますから、チームラボが掲げる大きな課題意識とそれへの解として構築した作品世界の造形の論理をしっかり記述して提示してみせる、いわば仮説を掲げた実験場に不特定多数の人々を招き入れるという態度が窺えます。そしてできるだけ多くの人々がそれぞれの経験を紡ぐ時空間の創出に関わって、個々に新たな認識を得てもらいたいという姿勢、「共創」ということばもよく使われていますが、そんな制作姿勢が、多くの人々の支持を集めるという結果に表れているのでしょう。まさに建畠さんがおっしゃるように、彼らが特定のメッセージを発していないからこそ、受け手の私たちが千差万別のメッセージをそれぞれの深い鑑賞体験の内側から自発的に引き出すことができる ── チームラボ作品のエンターテインメント性の内実は、作品世界に没入してその場で展開する出来事や自分自身や他者の存在を肯定的に、そして能動的に受け容れたときの充足感からもたらされるもので、年齢や文化の違いを問わず、人が生きる上で感じる普遍的な喜びにつながるものだと思えます。

「ボーダレス」を巡るコンセプチュアルな実験

建畠　今回の姫路市立美術館と圓教寺での展示作品には、これまでのチームラボの作品にはなかった要素が、少なくとも部分的に含まれているように思います。それはある意味では禁欲的とも言っていい、コンセプチュアルな実験性と呼べるものです。このようなところまで猪子さんは踏み込んでいるのだということに、僕は衝撃を受けました。

不動　彼らはアーティストとして何処で誰を対象に、何をどのように表現するべきかをいつも徹底的に吟味して決定しますから、今回が特別というわけではないと思います。ただ言えるのは、当館で企画展として開催するチームラボ展は4年ぶりで2回目の個展（注1）となることと、2021年から4カ年の大型プロジェクト「オールひめじ・アーツ＆ライフ・プロジェクト」（注2）のコア・アーティストとしてじっくり現場に向き合ってもらったなかで計画されてきたことは大きな要素として挙げられます。世界文化遺産姫路城の特別史跡地内にある美術館の建物は、旧日本陸軍の武器庫・被服庫だった建造物で、第二次世界大戦後、復興と戦後民主主義の拠点として市役所として使われた後、1983年に市庁舎移転にともない、市民待望の美術館として再生され40周年を迎えました。それを記念してサイトスペシフィックな創造を期待し、特異な歴史を有する場に在る美術館と、千年の仏教文化の殿堂である圓教寺の場所性と時間性を踏まえて展示コンセプトが練り上げられた結果、チームラボのアートの本質の一側面がこれまで以上に際立つかたちに結実したとも言えるかと思います。

建畠　彼らがよく使うことば「ボーダレス」については、その意味が明確に規定されているわけではないので、我々はさまざまに解釈することができます。たとえば、アートとアート以外のものとの間のボーダレスというのがあるでしょうし、国境というものに対するボーダレスというのもあるでしょう。また、多文化主義的な意味で境界を超えていくという捉え方もできます。それをさらに政治的に考えるならば、世界中で巻き起こっている地域紛争のような、不寛容で排他的な思想というものを乗り越えていくという解釈もあるかもしれない。

　つい最近、麻布台ヒルズにオープンした「チームラボボーダレス」を見てきたのですが、広大な展示空間のなかで、作品と作品とのつなぎ目がはっきりしていないんですね。もちろん、セクションは存在しているのですが、展示は全体としてゆるやかにつながっていて、そのなかをお客さんたちが、不規則かつ不定期に移動していく。まさにボーダレスです。チームラボにとってキーワードとなっている「ボーダレス」をめぐる問題意識が、姫路市立美術館と圓教寺の展示作品における禁欲的な実験性のなかにも、なんらかの意味で息づいているのではないかと感じています。

不動　チームラボの猪子さんは発足当時から明確にアートを志向していましたし、活動初期の 2004 年に猪子さんたち数人のグループと会い、彼らのプレゼンテーションを受ける機会を得た私は、猪子さんの観点とコンセプトの卓越性に目を見張りました。チームラボが、デジタル技術を扱いながらも近代科学合理主義を懐疑し、批判する立場に立っていたこと、そしてそれを超克する糧を前近代の日本の古典的美術表現に求めて発想した独自の表現世界「超主観空間」を創出したことに特に注目したのです。

21世紀に入って経済のグローバル化の進展にともない文化の多様性の存続問題をアートの領域でいかに捉えるかを最大の関心事の一つとしていた私は、その当時から、主客を分断し、あらゆる現象を二項対立させて分析的に読む西洋近代合理主義に基づく人間中心の二元論的な世界観ではない、「もうひとつの世界像」を探求し、創造しようとしているアーティストや活動に関心をもっていました（注3）。そんな時に猪子さんに出会い、西洋近代由来の視野に囚われた世界像が猛烈な勢いで現代の人間の視界を占領しつつあるところからは、この地球上の生命体として命をつないできた人類が置かれている奇跡のように美しい生命現象の営みの実相に近づくことは到底できないとする猪子さんの持論に触れ、まさに慧眼だと思ったわけです。確かに、カメラのレンズが1点透視で切り取った写真の光景やテレビの画像（見る側と見られる側が分断された状況で目に映る世界）を「真実」や「現実」として見なすようになっている私たちの自己意識や世界認識は、さらにパソコンや携帯のモニターを通じておびただしい量の同種のイメージが脳内に降り注ぐ時代に入り、知らず知らずのうちに1点透視法に象徴される二項対立的な思考回路にはまり込んでしまっているのかもしれない――。幼年期に原生林で感受し捉えた世界と、テレビのモニターを通して目に流れ込んでくる世界との間に埋めようのない断絶を感じたという原体験を源泉とする猪子さんの問題提起は、圧倒的な説得力があり共感しました。

日本や東アジアの前近代の絵画に描き出されている自他の境界が曖昧な時空間に活路を見いだした猪子さんたちは、デジタル技術を駆使することによって、かつてのように絵を見る私たちが視点を移動させて描き出された世界イメージのなかを浮遊する自由を取り戻すことに挑んだわけです。それによって、近代化にともなって失った視界、あるいは偏狭な主知主義のなかで忘れられた身体的感受性の復興を図ると同時に、同時代の地球上に生きる多様な人々が差異を超えてそれぞれの存在を肯定し合える時空をアート作品とするという壮大なプロジェクトに取り組むに至っています。

近年では、新型コロナウイルスによる未曽有のパンデミックや国際紛争が勃発する世界情勢のなかで、視点の解放と視界の拡張に始まった超主観空間の創造は、近代科学のレガシーである生命論や宇宙論の新知見も包摂して、人間を含む生命体の在りようや環境に対する私たちの認識そのものを無辺の地平の彼方へと導く取り組みに深化しています。建畠さんが特に注目されているのはそんな彼らの現在地点を示す新作ですね。

《Dissipative Figures – Human, Light in Dark》——新たな人間像の出現

建畠　具体的に作品を見ていきましょう。姫路市立美術館の前期展示に登場した《Dissipative Figures – Human, Light in Dark》（021頁参照）は、茫漠とした人間のかたちとおぼしきものが浮かぶように描かれています。どうやら静止しているわけではなさそうで、歩んでいると見えなくもない。これは人間のかたちを造形的に模ったものではなく、きっと理論的な背景があるのだなと考えました。それで、猪子さん自身から話を聞いたり、彼の書いたものを読んだりすると、化学の分野でいうところの「散逸構造」（注4）という理論に基づいていることがわかりました。同じことは、後期に展示された《Dissipative Figures – 1000 Birds, Light in Dark》（036頁参照）についても言えるはずです。

散逸構造の考え方に照らせば、人間は外部からエネルギーを吸収し、そのエネルギーを運動エネルギーに変えて再び外部へと排出していくという、一連のエネルギーの流れのなかに存在する構造ということになります。言い換えれば、人間は皮膚に囲まれて自足する一つの物体ではなく、エネルギーの生産と消費が行われる場であり構造ということです。これをコンピュータ技術により理論的に捉えようとすると、結果的にあのような茫漠とした人のかたちが現出するということのようですね。生命の在り方についての一つの本質を示すこの発想を、コ

ンセプチュアルなイメージとして示して見せたということが、これまでのチームラボの作品とは違って非常に面白いと感じました。

不動 《Dissipative Figures – Human, Light in Dark》を目の当たりにしたとき、戦慄にも似た感興を覚えました。これまでにない生命観に基づく人間観、そして世界観を実感として表象する記念碑的な「人間像」の誕生だと思います。とりわけ来館した子どもたちの反応が印象的でした。私は、モノクロームでうごめく巨大な人物の姿をみて怖がって泣き出す子どもがいるのではないかと案じていたのですが、会期中、私が見た限り、多くの未就学児童や小学校低学年の子どもたちは、駆け寄って両手を広げ、投影面に体を重ね合わせて、映像に現れている人間像と一体化しようとするのです。そして自分の姿を写真に撮ってほしいと一緒にいる大人たちにせがむ。チームラボの展示空間では、作品世界の構成要素として鑑賞者の存在が極めて重要ですが、《Dissipative Figures – Human, Light in Dark》に没入する子どもたちの振る舞いは圧巻でした。前期と後期で展示は入れ替わったのですが、将来この人間像が《Dissipative Figures – 1000 Birds, Light in Dark》の1000羽の鳥とともにインスタレーションされれば、超主観空間における新しい線描表現とそんな世界と一体化して駆け回る子どもたちが織り成す無類の光景が出現することになるでしょう。

「認知上の存在」からふくよかな人間社会へ

建畠 圓教寺での展示に話を移しましょう。会場となった食堂は、言うまでもなく宗教施設です。そもそも、「教会音楽」「宗教美術」ということばがあるとおり、美術館ができる前まで宗教施設は宮廷と並び芸術が生成する場だったわけですね。そういうところで美術館と並行して展示を行うというのは、それ自体が芸術の在りようについて一つのスリリングな問題提起をなしているのではないかと思いました。しかも、ここではさらに禁欲的でコンセプチュアルな二つの実験が行われていました。

《我々の中にある巨大火花》（044 頁参照）を構成するのは、小さな赤色 LED 一つです。非常にシンプルで、何の造作もされていない LED です。しかし、この光を眺めていると、点光源から放射状に線形の光が放出されてうごめいて見えたり、円形に広がるもやもやとした赤い光が、まるで呼吸しているかのように膨らんだり縮んだりして見えてくる。LED の光は一つの点なので、これらの光はあくまで我々の生理学的な作用が見せているものです。猪子さんは同様の光源として自動車のテールランプを例に出していましたが、他にも夜空の星が光芒を放って周りに光の環を作ることを思い起こせば、この現象は日常のあらゆる場面で起こりうることで、我々は誰しも経験しているはずなのです。しかし普段はそれを意識しない。この光はまさしく「認知上の存在」です。我々は存在しているものを認知しているのではなくて、認知したものが我々にとっての存在であるということ。もちろん、日常的には、存在を認知することと、認知上の存在というものは相補的なものであって、重なり合うものだと思います。ただ、我々が普段の生活で気づかないでいた、あるいは明晰には認識しないでいた認知上の存在が、宗教的な空間のなかで、しかも非常にピュアな条件の下で提示されることで、はっきりと我々の眼前に現出してきたということは、やはり不思議な気持ちになるし、たしかに美しい。仏教寺院という空間が持っている精神性が作品とクロスすることで、我々の記憶に残るような美しく深い表現が出来上がったのではないかと思います。

《質量のない太陽、歪んだ空間》（042 頁参照）もまた、認知上の存在を扱った作品です。白色 LED によるこの作品には、《我々の中にある巨大火花》とはまた違った、端正な美しさがあります。スクリーンも何もない空間に白い光の球体が浮かんで見えて、その奥には光のフレームのようなものが幾重にも重なって見える。はっきりと目に見えるのに、なぜそうなるかは計算できないみたいですね。光の物理法則からは考えにくい現象が眼前に現れている。これも認知上の存在です。

圓教寺で展示されたこれら二つの作品で起きている現象は、《我々の中にある火花》（注5）や《質量のない太陽と闇の球体》（注6）ですでに作品化されています。しかし、今回の展示がこれまでと大きく違うのは、前身となるこれらの作品が無数のLEDで構成されていたのに対して、圓教寺での作品は、それぞれたった一つのLEDに絞られていたという点です。しかもそれが宗教建築のなかでも修行僧の学問・寝食の場であった「食堂《じきどう》」という施設で展示されたことで、我々を色々な思索に誘うものになっていたと思います。その思索というのは、作品から届けられるメッセージというよりも、見る者がそれぞれに受け取り解釈する行為です。メッセージ自体が認知上の存在と言うこともできるかもしれません。それは非常に静謐な思索の産物であって、今までになかったチームラボの側面を見た気がしました。

「認知上の存在」というテーマは、姫路市立美術館での展示作品にもありましたよね。《反転無分別 – Light in Dark》（016頁参照）です。この作品は、チームラボが初期の頃から取り組んでいる「空書」シリーズの一つです。一般的には2次元のものと考えられている「書」を、3次元のものとして立体空間上に書いています。この作品では、書が常に同じ方向に旋回しているのですが、右回りに見えるか、左回りに見えるかは見る人によって違う。さらには、同じ人でも常に同じ向きに旋回しているように見えるとは限らない。その違いを生んでいるのは、見る人の認知作用です。さらにこの作品が面白いのは、文字を扱っている点です。我々にとって文字は、日常的に触れる単なる形象とは違って、非常にシンボリックな意味を持っています。それが立体空間のなかに、一つの現象として出現するのは興味深かったです。

最近のチームラボの傾向について感じていることがあります。チームラボの作品の多くはインタラクティブです。一般にインタラクティブなアートというのは、アクションに対して即時かつ明快にリアクションします。これまでのチームラボの作品も、反応までの時間が短いものが多かったように思うのですが、最近の作品は少し遅くなっているように感じています。《群蝶、儚い命》（028頁参照）の蝶々も《連続する生と死》（030頁参照）の花も、触ってから少し間を置いて反応するのです。この時間的なずれ、アクションとリアクションが即時に対応していないようなズレというのが、チームラボの懐の深さ、ゆるやかさ、ヒューマンな感覚を感じさせます。チームラボは極めて優れた技術集団で、作品には非常に高度な技術が駆使されているのですが、それを誇って見せつけるというより、ゆるやかに、ふくよかに、ヒューマンな感覚をもって展示空間を我々にとって居心地の良い作品空間に転化しています。こうした傾向もまた、禁欲的でコンセプチュアルな実験とはまた別のチームラボの世界の広がりに結びついている。

姫路市立美術館では、「オールひめじ・アーツ＆ライフ・プロジェクト」で、日比野克彦さん、杉本博司さん、中谷芙二子さん、チームラボ、隈研吾さんの５人をコア・アーティストとして招聘していますよね。これまで僕は、作品の傾向としては全く共通性のないこの５人を、なぜ美術館は選んだのだろうかと疑問に思っていたのですが、「ボーダレス」という視点で考えることで、その意味がわかりました。

近代以前の美術というのは政治権力や宗教権力によって荘厳された宮殿・寺院を主な場所として、非常に優れた活動が展開されてきたわけですが、美術館の時代になってから、それらは美術館という専用施設のなかに、悪く言えば隔離されたのです。それはそれで近代の必然性だったと思うし、そのことによって非常に充実した「芸術のための芸術」というものが純化されていったとも言えるのですが、それはまた、美術というものが我々の生活や宗教と乖離してしまったとも言えます。そこにきて、「オールひめじ・アーツ＆ライフ・プロジェクト」のコア・アーティストたちは、近代以降のアーティストとしての自己表現を目指しながら、芸術と生活、芸術と日常、芸術と現実世界との間の乖離を超えていくような試みをしているのではないかと思っています。もちろん、美術館は専用施設として非常に重要な使命を担っていますし、それは時代の必然性が生み出したものでもありますが、姫路市立美術館は、美術を隔離するのではなく、現実世界と再びつなぎ合わせようとしているのではないでしょうか。

不動　ありがとうございます。まさしくそのように企図した取り組みです。「オールひめじ・アーツ＆ライフ・プロジェクト」のコア・アーティストたちは皆、それぞれにしっかりと日本の風土と歴史文化に対する考察を踏まえた上で、個に終始する西洋近代主義に対しても批評精神をもって、それを乗り越える独自の表現言語を確立しているアーティストであり、かつ、当地（姫路）のローカルな文化資源の要素と親和性のある表現活動を展開されており、接点が見いだせるところで企画が成立しています。

建畠　日比野さんの「明後日朝顔プロジェクト」（注 7）は、2003 年「大地の芸術祭 越後妻有アートトリエンナーレ」で日比野さんが新潟県松代町（現十日町市）莇平の住民たちと朝顔を育て始めたことから始まりました。その種から全国に広まった「明後日朝顔」には、一つひとつその遍歴を示す「種の履歴」が付されて、現在に至るまで関わった人たちの想いをつなぎ続けています。日比野さんは、「オールひめじ・アーツ＆ライフ・プロジェクト」において、この「明後日朝顔」を圓教寺の摩尼殿《まにでん》（注 8）に張られた 100 本のロープに伝え這わせるという大胆な試みを行ったわけです。明らかに前代未聞の光景ですが、違和感があるというより、みんなが微笑ましく受け入れて、いつの間にか新鮮な感動の渦に引き込まれてしまうようなものでした。

中谷さんは、E.A.T. (Experiments in Art and Technology) での活動を起点とし、科学と自然との融和を「霧の彫刻」の創出を通じてアートとして提示し続けている現代美術家です。僕は、姫路市立美術館の庭園で、《白い風景——原初の地球》の巨大な霧の渦の中を子どもたちが無邪気に走り回る姿を目の当たりにして、人工と自然現象とをシームレスにつなぐ、新たなテクノロジーの可能性を強く印象付けられました。

杉本さんは、写真から舞台芸術まであらゆるメディアを横断し、「歴史・時間」を編集する現代美術作家です。圓教寺の常行堂で、彼は《光学硝子五輪塔》を《木造阿弥陀如来坐像》とともに展示しました（注9）。その空間で田中泯が行った場踊りを記録した映像作品の上映会に参加した僕は、場踊りがもつ根源的で原初的な人間の営みが、より切迫感をもって迫ってくるように感じました。これは美術館がアートプロジェクトを宗教的な空間にも拡張したことによると思います。

不動　そして最終年度にあたる2024年度は建築家の隈研吾さんによるプロジェクトが展開されます。周知のとおり、隈さんは「負ける建築」（注10）を唱えて、従来の、自己の周囲を「征服する」建造物ではなく、ヒューマンスケールのやさしさとやわらかさを重視しながら、その場の環境に溶け込む近未来の建築の在り方を前近代の工法や素材を参照しながら追究している建築家です。圓教寺の数ある国の重要文化財の一つである摩尼殿は、隈さんが敬愛する武田吾一が再建した建造物でもあり縁が深い。姫路城と圓教寺と美術館という姫路の3大建築美を隈さん流に考察してその本質的価値を紐解いていただくという計画です。さらに今回のチームラボ展をご覧になった隈さんは、チームラボとの接点として「散逸構造」を見いだされましたから、新たな化学反応が生まれることを期待したいところです。

建畠　美術館のこうした取り組みは、美術館を解体するわけでも完全に変質させるわけでもなく、相対化を通じて多様な可能性を付加し、我々の想像力を揺さぶります。そのような意味において、チームラボが持つボーダレスの思想は、このプロジェクトに非常にうまく息づいたのではないかと思います。

冒頭にも言いましたが、こうしたメッセージはチームラボが持ち込んだわけではないのです。我々が一連の展示や作品を通じて感じたり、読み取ったり、解釈するのです。世界にはびこる偏狭で排他的な思想を嫌悪する人たちは、そこに融和的な思想を読み取ろうとするかもしれない。チームラボのこうした思想は、これまでの展示や作品にも常に息づいていたのでしょうが、それが今回、《Dissipative Figures – Human, Light in Dark》、《我々の中にある巨大火花》、《質量のない太陽、歪んだ空間》において、非常に禁欲的でコンセプチュアルな実験的作品として示されています。それらはギリギリまでシンプルに切り詰められた表現であるがゆえに、我々の想像力をいっそう解放してくれます。シンプルであるがゆえに、表現の幅と解釈の幅が広がり、我々はそこにさまざまなメッセ—ジを読み取ることができるようになります。その経験が、改めてチームラボの他の作品を見直す上でも大きな意味を持つのではないでしょうか。

不動　建畠さんはおよそ20年前からすでに「ミュージアムという存在は相対的多文化主義の救済の館であるべき」との持論をお持ちです。20世紀の不寛容な対立が生み出す大量殺戮《さつりく》の不幸な歴史を経て、21世紀に向けてこれから美術館やアートはどのようなミッションを果たし得るのかを考えたとき、特に市民革命を経ずして近代化の道を歩む日本における美術館は「緩慢なる市民革命の場」から「救済の館」に向かうべきだと（注11）。

21世紀も四半世紀が過ぎようとしている今、世界は不寛容と対立が深刻化する様相を呈しています。美術館やアートがこのような状況下で果たすべき役割や存在意義について、この20年を振り返って改めて建畠さんの思いをお聞かせいただけますか。

建畠　ガザやウクライナの情勢を見ていると、自分が何もできないことに対して、忸怩《じくじ》たる思いがします。アドルノの有名なことばに「アウシュビッツ以降、詩を書くことは野蛮である」（注12）というものがあります。今、それと同じような状況が生まれている。アートは一見すると無力のように思えますが、それでも、その力を信じて、アートがどのようにして抑止力になるかということを考えざるをえない。もちろん、アートだけで救えるわけではありませんが、我々は美術館人としてそこに立ち会っているわけですから、どうやって救済に結びつけるかということを考えなければならないし、諦めてはいけないと思っています。

たとえば姫路市立美術館の建物は、もともと旧日本軍の武器庫・被服庫であったわけですよね。それが戦後に近代市民社会の要たる市庁舎になって、さらに美術館に転用されたという歴史をもつわけです。それは決して忌まわしい記憶ではなくて、むしろ我々にとっては美術館の可能性を示してくれているように思えます。これは一種の救いです。

レジリエンス（resilience）ということばを最近よく聞きますね。もともとは物体の弾性を表すことばですが、「こころの回復力」の意味ももつようです。逆境をしなやかに克服する力が求められる状況において、アートは人々がお互いに志を一つにして立ち上がるためのコミュニケーションを促してくれるのではないでしょうか。これは甘い幻想かもしれませんが、そのように信じたいと思っています。芸術療法の世界では、内なる恐怖や忌まわしい記憶をあえて作品化することによって、かえってその抑圧的なオブセッション（obsession）から解放されるという考え方があるようです。アートには、相互理解を通じて困難な状況を乗り越え、他者に思いを寄せる基盤を育む力があると思っています。そのようなとき、美術館は平和の砦として重要な役割を果たせるのではないかという期待を持っています。

不動　相互理解の不可能性を乗り越えて、アートは時空を隔てた奇跡的なコミュニケーションを可能にするという建畠さんの信条は、私たちアートに携わる多くの人々に共通する思いだと言えるのではないでしょうか。今まさに、そのことが重要になっています。

建畠　「ボーダレス」というのは、単純に考えると境界線がなくなるということですよね。ただそれは、僕に言わせれば均一で同質の社会が出来上がるということではありません。そのような社会では、コミュニケーションは必要とされません。なぜなら、全てが均一で同質であれば、コミュニケーションがなくても皆がいっせいに同じ方向を向くからです。そのような社会はかえって危険です。コミュニケーションというのは、違う者同士が意志の疎通を図り合って、違いそのものをポジティブなものとして受け止めるということです。さまざまな他者が融和的に共存できるのが多文化主義です。

よく言うのですが、言語を含めた文化の翻訳は不可能なのです。なぜ翻訳という作業が我々にとって極めてスリリングでポジティブかつ生産的な課題であるかというと、それが不可能だからです。完璧な翻訳というのがない限り、我々は相互理解のための努力を続けます。それがいかに大きな成果を生むかということについては、たとえば外国文学の翻訳が日本文学の展開に果たした役割を見ても明らかです。ボーダレスというのは均質の社会を目指すのではなく、それぞれ違う者同士が他者性を肯定しながら、相互に意思の疎通を図って新たな文化を生み出していくということです。アートはそのための重要なコミュニケーション・ツールとなります。美術や音楽は国際言語だと言われますが、完全な均質言語ではありません。しかし、我々美術館人やアートに携わる人たちは、その違いに生産的な価値を見いだします。違いそのものを認めながら、それを絶対化することなく、「翻訳は不可能である。だから翻訳せよ。」ということを永遠の課題として引き継いでいくということが、アートと美術館にとって必要なことではないかと思います。

2024年2月16日
収録・編集・構成　二宮洋輔

注1　姫路市立美術館企画による初回のチームラボの個展は2019年度に開催の「チームラボ 世界は暗闇からはじまるが、それでもやさしくうつくしい」（会期2019年4月20日–6月16日）である。

注2　本プロジェクトの詳細については、本書171頁を参照。

注3　2004年の猪子代表ほかチームラボメンバーとの面談時の論点は、「近代的自我の拡大としての自己表現とは異なった世界との関係の結び方があり、そこに主体と客体の二項対立を超える表現の在りようが立ち現れる」（不動美里、「生成のプロセスの只中にあるもの」、『Alternative Paradise ～もうひとつの楽園』、2005年、金沢21世紀美術館）。

注4　ロシア出身のベルギーの化学者・物理学者イリヤ・プリコジンが提唱した理論。これにより1977年にノーベル化学賞を受賞した。散逸構造とは、たとえば岩石のようにそれ自体で安定した構造を保っているものとは異なり、渦潮のようにエネルギーの流れのなかに自己組織化した定常的な構造が保たれるもののことを指す。

注5　《我々の中にある火花 / Solidified Sparks》teamLab, 2022, Digital Installation, Sound: teamLab

注6　《質量のない太陽と闇の球体 / Massless Suns and Dark Spheres》teamLab, 2022, Interactive Digital Installation, Endless, Sound: Hideaki Takahashi

注7　日比野克彦、『日比野克彦 明後日のアート』、現代企画室、2022年。

注8　2024年1月に重要文化財に指定された仏堂。1921年の焼失後、中世に遡る前身建物の規模と構成を踏襲し、京都帝国大学教授の武田五一の設計のもと、1933年に再建。

注9　杉本博司、『杉本博司 本歌取り：日本文化の伝承と飛翔』、くま書店、2022年。

注10　隈研吾、『負ける建築』、岩波書店、2004年。

注11　「美術館 ── 緩慢なる市民革命の場」建畠晢インタビュー / 聞き手：不動美里、『金沢21世紀美術館研究紀要04/2007』、4-15頁。

注12　テオドール・W・アドルノ著、渡辺祐邦他訳、『プリズメン ── 文化批判と社会』、ちくま学芸文庫、1996年、36頁。

チームラボ作品の「音」について

▶二宮洋輔　NINOMIYA Yosuke
姫路市立美術館 学芸員

はじめに

チームラボ作品の鑑賞は、知覚の複合体験である。
代表である猪子寿之氏は次のように語っている。

> 人間は本来身体的に世界を認識していて、そういう身体的な認識だけが、自分の価値観を広げたり変えたりしてくれるんじゃないか、と思っています。（注1）

鑑賞者は、作品空間の中を動き回りながら映像や光を見つめ（視覚）、音を聴き（聴覚）、自らの振る舞いに反応する作品に触れる（触覚）。実物の草花を用いたり、自然の中や屋外に設置された作品においては、それらに由来する香りもあるだろう（嗅覚）。《小さきものの中にある無限の宇宙に咲く花々》（注2）のように、「飲む」という行為を鑑賞と結びつけた作品もある（味覚）。これらの身体的な認識を通じて、チームラボは「ボーダレス」など彼らが大切にしているコンセプトを伝え、世界に対する人々の眼差しや認識を変革しようとしている。この目的のために、チームラボは五感に訴えかけるあらゆるメディアを手段として総動員するのである。

本稿では、チームラボが駆使する多様なメディアのうち「音」に注目したい。理由は二つある。一つ目は、チームラボの作品の多くに音が存在するからである。二つ目は、一つ目の理由と密接に関係するが、鑑賞者の没入感を高める上で音が大きな役割を果たしていると考えたからである。後者は、展示設営時に映像と音が統合される過程に立ち会った筆者自身の体験に基づいている。チームラボ作品において音が果たす役割とそれを支える特性について、主に鑑賞体験の視点から考察を行うことが本稿の目的である。

もっとも、筆者は音楽や音響の専門家ではない。しかも、チームラボ作品の音については、意外なことにこれまでほとんど取り上げられてこなかった。そのため、本稿執筆にあたっては、特に技術的な点やソフトウェアの仕様について、チームラボのサウンドチームである木本圭祐氏と、コミュニケーションディレクターである工藤岳氏から多くをご教授いただいた。ここに記して感謝申し上げたい。

「音」をどう呼ぶか

そもそもチームラボの作品における音の要素をどのように呼ぶべきだろうか。音、音楽、音響。あるいはチームラボがよく用いることばとしてサウンド、サウンドエフェクト、BGM。チームラボのなかでも明確な決まりはないらしく、作品によって変えていると聞く。事実、チームラボの作品における音の形式、様式は様々である。楽理的な定義は問題ではなく、作品のコンセプトを伝えるために必要な設計・制作を行うことに主眼が置かれているという点で、チームラボにとって音は他のメディアと同様に合目的的な要素であるといえる。また、その目的のために既存のあらゆる理論や形式、様式に縛られることなく、むしろそれらを自在に用いるという点で、彼らは音楽史的な系譜から自由な立場をとっているとも捉えることができる。

「音楽」ということばには様々な定義があるが、最も広義なもののひとつが、イギリスの民俗音楽学者・社会人類学者であるジョン・ブラッキングが提唱した「人間によって組織づけられた音響」（注3）という定義であろう。しかし、後述するように、チームラボの制作する音のなかには、全てをあらかじめ作り込むのではなく、偶然性に委ねた響きを生成するものも含まれる。このことを踏まえ、ここではより定義の射程が広い「音（サウンド）」ということばを用いることにしたい。なお、本稿では「BGM（Background Music）」ということばは用いない。理由は、チームラボの作品において各メディアはコンセプトを伝えるために必要な手段として対等な関係にあり、どれひとつとして付随的な要素ではないと筆者が考えているからである。

映像との関連から見た音の分類

それでは、チームラボの音にはどのようなものがあるのか。「チームラボ 圓教寺 認知上の存在」及び「チームラボ 無限の連続の中の存在」出品作品について、映像との関連を軸に分類してみたい。

1　映像と同期するもの

(1) インタラクティブな映像

❶ インタラクション（センサーの反応）に応じて効果音的に鳴る音

→《群蝶、儚い命》（028頁参照）、《我々の中にある巨大火花》（044

頁参照）

❷ インタラクションに関係なく鳴る音

→《増殖する無量の生命の森》（012 頁参照）

❸ 映像の内容とインタラクションの双方に応じて鳴る音

→《Autonomous Abstraction, 宇宙から自分の存在まで連続する現象》（008 頁参照）

(2) インタラクティブでない映像

→《Dissipative Figures – 1000 Birds, Light in Dark》（036 頁参照）、《質量のない太陽、歪んだ空間》（042 頁参照）

2　映像と同期しないもの

→《反転無分別 – Light in Dark》（016 頁参照）、《Dissipative Figures – Human, Light in Dark》（021 頁参照）、《憑依する炎》（026 頁参照）、《群蝶、儚い命》（028 頁参照）、《連続する生と死》（030 頁参照）、《Matter is Void – Fog》（038 頁参照）、《我々の中にある巨大火花》（044 頁参照）

3　固有の音がないもの

→《生命は生命の力で生きているII》（004 頁参照）

これらのうち、《群蝶、儚い命》と《我々の中にある巨大火花》は、映像と同期することなく流れ続ける音と、センサーの反応に応じて効果音的に鳴る音とが組み合わされている。《増殖する無量の生命の森》は、センサーの反応とは無関係であるが、一本一本と次第にその数を増やす草花が、ある瞬間に爆発的に繁茂するタイミングで楽曲展開のクライマックスを迎える。その後、草花が枯れ散っていくに従い、音も静寂を取り戻す。無限に繰り返される生滅のサイクルが、劇的に演出される。

《Autonomous Abstraction》は少し複雑な構造をしている。本作では、常に音が流れ続けているなかで、センサーに反応するたびに単発的な音が聴こえてくる。オルガンを想起させるこの反応音は、宇宙的なマクロの視点をもつ本作のコンセプトと結びついて、天上的な雰囲気を醸成してくれる。一見すると、この作品も《群蝶、儚い命》などと同様の音の組み合わせと思われるが、実はそうではない。ランダムに映像で投影される丸い光の玉には、その色ごとに特定の音程が割り振られており、展開されている光の玉の種類の数だけ複数の音程の音が鳴り続けている。この光の玉は手を触れると弾けて散るが、触れた光の玉に割り振られた音程だけが、その瞬間に音色を変えて目立つように聴こえるのである。つまり、ここで展開される音は全て、映像と鑑賞者の振る舞いにより偶然かつリアルタイムに紡ぎ出されている。チームラボはこのタイプの音を「生成系」と呼んでいる（注 4）。

響きが生む没入感

映像との多様な関連性をもつこれらの音であるが、いずれにも「没入感の創出」という共通した役割がある。それは単に、鑑賞体験に聴覚という身体的な要素がひとつ付け加わるというだけではない。そこには、音に特有の現象、すなわち「響き」が大きく関係している。

音は、ものの振動によって生じる物理現象である。そして、響きは音が「鳴る」こととは区別される。いちど鳴った音がその後どのように展開するか。すなわち、音の反射によって生じる残響の時間や質、それらの方向等、空間における音の挙動が響きといえる。したがって、響きはその空間の広がりや奥行きを聴取者に示唆するとともに、場合によっては音像や定位感すら強く感じさせる。つまり、音それ自体が、映像とは無関係に、空間を構築する力を持っており、鑑賞者はその音響空間に浸ることで作品空間への没入感を得ることができるのである。

ボーダレスな音響空間

空間といえば、チームラボの作品空間では、作品同士もボーダレスにつながっている。個々の作品の映像は、それぞれ制作年代も視覚表現も異なるにもかかわらず、同一空間内に展開されてなお違和感なく連続している。それと同様に、音もまたボーダレスに展開されて、全体性を損なうことも、不快感を生むこともなく成立している。しかも、音は映像以上に「接続する」対象が多い。映像が距離や位置関係により視覚で捉えられなくなっても、その音だけは遠く離れたところから聴こえてくることが往々にしてあるからである。ボーダレスな音響空間の実現は、まことに驚異的というほかない。

さらに、「チームラボボーダレス」のように大規模な展示空間では、たとえば《群蝶、儚い命》の蝶のように、ある作品映像が、別の作品が投影されている壁面にも自由に移動する場合がある。どれだけ入り組み離れた壁でも作品が連続してつながっていく様子は、映像であれば一目瞭然であるが、そこに音も紐づけられていることを忘れてはならない。このような作品においては、音もまた壁から壁へと移動しているのであり、しかもそれは常に映像の動きやセンサーの反応に合わせて行われている。夥しい数のスピーカーやそれを制御するPCの間をリレーしながら、映像やセンサーの挙動を追いかけ、タイムラグなく適切な音を選択して再生するという離れ業のような制御が行われているのである。このために、チームラボはマルチチャンネルに特化し、恐ろしく正確なタイマーを備えたソフトウェアを独自に開発して用いているという。

中心のない音響空間

マルチチャンネルによる音響システムについて触れたところで、もうひとつ重要な点を取り上げたい。チームラボの映像においては、鑑賞者の動きを縛らず空間を自由に動けるよう、「超主観空間」が重要な役割を果たす。これは、視点を固定することなく3次元空間を平面上に展開する彼ら独自の空間論理構造である。しかし、いわゆる「通常の」鑑賞の場において、鑑賞者の動きを縛ってしまうのは視点だけではない。通常のマルチチャンネルによる音響空間においては、最適な聴取位置 ── 音響空間の中心位置とも言える ── がある程度固定されてしまうからである。そこで、チームラボでは聴取位置を固定しないために考え抜かれたスピーカーの分散配置や、音の種類に応じた機種の選択などを行っているという。

この、鑑賞者が自由に動き回ることのできる、中心のない音響空間について、姫路市立美術館の前庭で2021年に展示した、菅野由弘作曲《星雲光響2021》を、鑑賞者の没入感を高める事例としてここで挙げておきたい（注5）。この音響インスタレーション作品は、鍛冶師である明珍宗敬氏が制作した「玉鋼製明珍火箸」（注6）の音色をテーマにしており、庭園内に分散設置された12台のスピーカーから6×2チャンネルで音が発せられる。音響空間は庭園全体を時計回りにゆっくりと回転するように構築され、左右に首を振る1台のパラメトリックスピーカー（注7）から発せられる音がそこを直線的に横切ることで響きに揺らぎが生じる。加えて、YouTube上にアップロードされたもうひとつの音響作品を手持ちのスマートフォン等で再生すれば、庭園内の音と混ざり合って、その時・その場所でしか生まれない音響空間が立ち現れる。この場合、音響空間の中心は、鑑賞者一人ひとりの立つ場所になる。菅野は複数の聴取位置が想定されたこの作品を「正面のない音楽」と呼んだ。さらに興味深いのは、自由に動き回ることのできるこの「正面のない音楽」によって、菅野は「あたかも明珍火箸の中に入り込んだような」体験を生むことを目指したという点である。中心を持たない音響空間は、そこに足を踏み入れる鑑賞者の没入感の創出と結びついているのである。

響きにより結ばれる作品世界と現実世界

ここまで作品の「内」における音の役割や特性について見てきたが、最後に作品の「外」との関係について触れておきたい。「チームラボ 無限の連続の中の存在」において、スピーカーはモニターの取り付け壁面と映像の投影壁面に向けて設置された。鑑賞者への音の直接放射を避けることで、音の発生源であるスピーカーの存在を隠し、あたかもその音が「映像空間から発生している」かのように聴こえるよう意図してのことである。映像と音はひとつの作品として統合されるわけだが、作品の「外」との関係においては、両者は異なる事情を抱えている。

映像は、投影される壁面の大きさや仕上げにより同一作品でも見え方が変わる。裏を返せば、同じ大きさ、仕上げの壁に対して同じ機材で投影すれば、ある程度均質な映像を創り出せるということである。

一方で音は、空間に発せられると響きになる。そしてその響きはその空間のあらゆる物理的な条件により変化する。屋外については言うまでもなく、屋内であったとしても、その部屋の容積や建物の内部構造、使われている内装材や外装材、更には温度・湿度に至るまで、音の響きを左右する要素は限りなく存在する。これらの諸条件を異なる場所で同一に揃えることは極めて難しい。音はその「場」の特性に影響を受けやすいのである。

チームラボの作品世界は、現実世界を超越した、あるいは現実世界から切り離された「閉じた」空間ではなく、現実世界の延長線上にあって「開かれた」──だからこそ人類の世界認識を変えることができる──世界である。音の響きは、「たしかにここにある現実世界」と物理的に不可分に結びついている。ゆえに、チームラボの創造する作品世界とそれが展開されている現実世界とをつなぐ結節点のような役割も果たしているのではないだろうか。

おわりに

身体的な体験を前提としたチームラボの作品が、「空間」というかたちをとって展開されることは必然である。このことは、そこで発せられる音が響きとなることを意味する。「ボーダレス」「没入感」といった、チームラボが大切にしているコンセプトの表現は、この響きそのものの特性と、それを空間全体でいかに制御するかに深く関わっているのではないか。そのために駆使される高度に専門的な技術についても、今後ますます注目されて然るべきであろう。

注1　「TALK 猪子寿之×南條史生」、『チームラボ 永遠の今の中で』、青幻舎、2019年、37頁。

注2　《小さきものの中にある無限の宇宙に咲く花々 / Flowers Bloom in an Infinite Universe inside a Teacup》teamLab, 2016, Interactive Digital Installation, Endless, Sound: Hideaki Takahashi

注3　ジョン・ブラッキング著、徳丸吉彦訳、『人間の音楽性』、岩波現代選書、1978年、

13 頁。

注 4　「生成系」の音が用いられている作品には、他に次のものがある。
《Moving Creates Vortices and Vortices Create Movement》 teamLab, 2017, Interactive Digital Installation, Endless, Sound: teamLab

《The Columns》 teamLab, 2019, Interactive Digital Installation

注 5　本作については、次の論考を参照。菅野由弘、「星雲光響 2021」、『日本の心象 刀剣、風韻、そして海景』（展覧会記録集）、姫路市立美術館、2021 年、69-71 頁 ／ 二宮洋輔、「たまはがねの響き ── 音と光のインスタレーション」、前掲書、72-74 頁。

注 6　「明珍火箸」は兵庫県指定伝統工芸品に指定されている。「玉鋼」とは刀剣に用いられる特殊な材料で、（公財）日本美術刀剣保存協会により製作・頒布が管理されている。明珍火箸は、作刀以外での目的で玉鋼の使用が許されている唯一の例である。明珍宗敬、「『派生 ― 明珍火箸 ―』 を巡って」、前掲書、67-68 頁。

注 7　超音波を使うことで鋭い指向性を持たせることができるスピーカー。通常のスピーカーが放射線状に音を放出するのに対し、パラメトリックスピーカーは直線的に音を放出する。

チームラボ作品にみられる東アジア古典絵画的要素

▶紅林優輝子 KUREBAYASHI Yukiko
姫路市立美術館 学芸員

はじめに

「超主観空間」とはチームラボ独自の論理構造で、デジタルの仮想空間上に3次元で作った作品空間を、平面上に投影、あるいはモニター等に映し出し、2次元化するというものである。この超主観空間に基づいて制作されたチームラボの作品は、特定の視点や消失点が存在せず、鑑賞者の視点を固定しない空間構成になっている。チームラボは、この概念の源泉の一つに東アジアの古典絵画（注1）における空間表現をあげており（注2）、確かに、そうした視点を定めない空間構成は、日本をはじめとする東アジアの古典絵画作品によくみられる平行投影的な空間表現に通じるものと言える。

視点を固定しない画面は、鑑賞者の視点を自由にするだけでなく、画面の配置についても制限が少ないため、画面を複雑に配置し必要に応じて分割・屈曲・統合させ空間そのものを作品として造り上げるチームラボの作品制作の基礎となっていると言えよう。また、チームラボは超主観空間の特徴について、「超主観空間の平面は、境界とならず、超主観空間よって切り取られた作品空間は、鑑賞者の肉体がある空間と連続する」（注3）と語っている。こうしたことから、チームラボ作品に特徴的な没入感や、視覚だけではなく身体そのものを用いた鑑賞体験の創出において、超主観空間は重要な役割を果たしていると言えるだろう。

超主観空間を用いた作品では、空間構成だけでなく、画面の中に登場する事物の描法にも、しばしば東アジア古典絵画を思わせる表現が見られることが大きな特徴である。ひとくちに東アジア的な表現・描法といっても、作品ごとに様々な描法を様々な程度で取り入れているため、そのすべてを本稿で詳述することはできない。そこで本稿では、筆者が特に描法が印象的であると感じた、「チームラボ 無限の連続の中の存在」で展示された《連続する生と死》(2023)(030頁参照)の岩塊の表現に着目し、そこにみられる東アジア古典絵画、特に日本の古典絵画に通じる要素について考察したい。

1、《連続する生と死》について

《連続する生と死》の画中の表現の考察に入る前に、この作品について概観したい。本作は、《永遠の今の中で連続する生と死》(2017)（注4）とコンセプトを共有する作品で、岩塊の上で四季折々の花々が生滅し季節と生命が巡っていくことや、花の一生と現実の1日といった異なる時間が一つの作品の中で重なり合うといった、作品としての大枠も共通している。こうしたコンセプトや表現を共有する作品は他にも3点制作されており、それらも含めて一連のシリーズ作品として位置付けることができる。

《連続する生と死》では、入り組んだ形に配置された複数の壁面に、生滅する四季折々の花々が映し出される。ゆっくりと回転しながら横方向に移動する巨大な岩塊に、実物よりも大きな花が咲いては枯れてゆく。

作品空間には複数の季節が同時に存在しており、季節とそれを象徴する花々はゆっくりと移り変わっていく。また、花の生滅のサイクルは１年を極度に圧縮した周期で繰り返されるのに対し、背景は現実世界の１日の時間の流れに応じて、朝方は青、昼は黄（金）、夕方は赤紫といったように色が変わってゆく。加えて本作にはインタラクティブな要素があり、花は時の流れと共に自然に生滅するだけでなく、人が岩にじっと手を触れているとその手元から花が芽吹くが、画面を撫でるように手を動かすと散ってしまう。

こうした作品構成の中には、鑑賞者の身体と視点を動かして作品への没入を促す工夫が随所に見て取れる。一つの岩に咲く花々だけでも、その全貌を眺めるためには、鑑賞者は壁面からある程度の距離をとる必要がある。その一方で、作品に触れてインタラクティブな仕掛けを体験するためには、作品に近づき壁面に触れる必要があり、鑑賞者は身体と視点の移動を自然に促される。また、複雑に配置された長大な壁面に展開される本作は、その全貌を１カ所から把握することはできない。様々な岩塊があることや、岩ごとに花の咲き方が異なること、離れた壁面同士が作品内の空間としては境目なく連続していることなどを、鑑賞者は自分の足で空間を歩き回ることによって発見できる。このような、鑑賞者が動くことを前提とした本作の構成において、画面を分割・屈曲・統合し自在に配置でき、鑑賞者も自由に視点を移動できるという超主観空間の特性は、欠かせない役割を担っていると言えるだろう。

２、チームラボ作品にみられる東アジア的な表現とモチーフ

先述のように、チームラボの作品では、超主観空間の画面構成だけでなく、画中の事物の描き方にも、しばしば東アジア古典絵画の影響がう

かがえる。例えば、《Black Waves》（注 5）の波の表現は、俵屋宗達の「松島図屏風」（フリーア美術館蔵）や葛飾北斎「冨嶽三十六景・神奈川沖浪裏」（東京国立博物館蔵など）の波を思わせる。また、《Nirvana》（注 6）や《世界は、統合されつつ、分割もされ、繰り返しつつ、いつも違う》（注 7）は、伊藤若冲の「樹花鳥獣図屏風」（静岡県立美術館蔵）をモチーフ、描法ともに参照している。《生命は生命の力で生きているII》（004 頁参照）で画面の左下に表れる流水の表現も、酒井抱一「夏秋草図屏風」（東京国立博物館蔵）の流水を想起させる。他にも、禅画の「円相」をモチーフとした作品や、箔を押したような模様を背景に草花を描き連ねる、琳派の屏風絵を想起させる作品、「鳥獣人物戯画」（高山寺蔵）などの日本の絵巻物の人物・動物の表現に着想を得たと思われる作品などもあり、多くのチームラボ作品に、様々な日本の古典絵画の描法の影響がはっきりと見て取れる。

こうしたチームラボ作品にみられる琳派的な要素や、絵巻物をはじめとするやまと絵的要素、書や禅画の要素などは、しばしばチームラボの作品についての言説の中で語られてきた。しかし、《連続する生と死》には、これまでチームラボ作品と結び付けられることが多かった上記のような画派、画法、画題とは別の東アジア古典絵画との共通項が見いだせる。

3、2つの岩塊の表現

《連続する生と死》を含むシリーズ作品は、画面の配置や形態、作品空間内の時間の流れなど、様々な点で差異がある。その中でも、描法という点で特に大きな差異が見て取れるのが岩塊の表現である。シリーズ中の作品は、岩の描き方で二つの組に分けられる。

一つ目の組は、《増殖する生命》（注 8）と共通する描法で岩塊を描くものである。シリーズ作品計５点のうち、《永遠の今の中で連続する生と死》（注 4）と《交差する永遠の中で連続する生と死》（注 9）の２点がこれに当たる。これらで描かれている岩は、いずれも力強い輪郭線が目立つ。色使いは、緑と青の２色を墨流しのようにする彩色、茶・緑・墨の濃淡を用い、その上に赤い点苔状のものを描く彩色、差し色のように随所に入れられる濃い青の三つを使い分け、岩肌の質感を表現している。

はっきりとした輪郭線・点苔など平面性の強い描法、また、色の濃淡による岩肌の表現や差し色的な青の配色などは、漢画系の描法とやまと絵的な彩色を折衷した狩野派の山水表現を彷彿とさせる。しかし、単に狩野派の山水表現に似通っているというのではなく、様々な形状の平面を複雑に組み合わせることによって岩塊の描出を試みており、岩だけを眺めると抽象画のような印象を受ける表現になっている。

二つ目は、《Impermanent Life》（注 10）と共通する表現のもので、《連続する生と死》（030 頁参照）、《永遠の今の中で連続する生と死 II》（注 11）、《永遠の今の中で連続する生と死、コントロールできないけれども共に生きる》（注 12）の３点が当てはまる。これらの作品では、輪郭線は用いず、墨流し状の複雑な配色のみで岩の質感や形状を表現しており、一つ目の組と比べると、質量を持った物質としての存在感を鑑賞者に感じさせる。

しかし、質量という３次元的な要素が強調されているにもかかわらず、これらの作品で描かれる岩は、物質としての具体的な形状や構造が認識しづらい。複雑な色の重なりは、大まかな岩の形状を象りはするが、岩肌の一つひとつの面がどういった形状で、隣接する岩肌とどのような位置関係にあるかといった立体的な表現に必要な描写は曖昧で、様々な角度から観察した岩肌を同一平面上で融合させたかのような形状になっている。

こうした岩塊の表現は、複数の視線から捉えた形状を統合したような描き方や、そこから派生する抽象画的な印象から、中国山水画や、その流れをくむ文人画の山水表現（以下、まとめて「山水画」とする）で描かれる山や岩を思い起こさせる。山水画は、「臥遊」という言葉が示すように、画中世界に入り込み山水を巡ることを目的に生み出されたもので（注 13）、作品空間への没入、作品との一体化という、超主観空間と似た志向を持った絵画である。山水画では、三遠（注 14）という画法がしばしば用いられるが、これは一つの風景を複数の視点からみた形状を破綻なく一つの山水画にまとめ上げるための方法論である。鑑賞者が画中世界を逍遥して山水を様々な場所から眺めることを想定し、一つの山を複数の視点から見た描写を画中に盛り込むための理論であり、超主観空間と同じく、視点を一つに固定せず、「絵を見ながら、絵の中に入り込む」（注 15）ことを可能にする空間構成法であるとも言える。

おわりに

同じシリーズ内の共通の事物を表現する際に、2 次元性を意識した狩野派的な表現と、3 次元性を意識した山水画的な表現を使い分けていることの意味や目的については、残念ながら本稿では考察の及ばないところである。そもそも本稿で述べた、一つの群は狩野派的で、もう一つの群は山水画的というような描法の使い分けは、チームラボが意識的に行っていることではない可能性も十分にある。しかし、これまであまりチームラボとは関連付けられてこなかった狩野派や中国山水画・文人系山水画の要素が、一つのシリーズ内の作品に共通する事物の表現に表れていることは、超主観空間が、従来から言及されてきた琳派ややまと絵などに限らず、より広範な東アジア古典絵画の表現技法との親和性を持ち、それがチームラボの表現の幅の広さに繋がっていることを示す一例といえるだろう。

注 1　東アジアという語は、モンゴル高原、中国大陸、朝鮮半島、台湾列島、日本列島を指す地域区分であるが、本稿では、現在の日本・中国および朝鮮半島に該当する地域を指して東アジアとする。

注2　https://www.teamlab.art/jp/concept/ultrasubjective-space/ （2023 年 12 月 15 日閲覧）

注 3　同上。

注 4　《永遠の今の中で連続する生と死 / Continuous Life and Death at the Now of Eternity》teamLab, 2017, Digital Work, 9 channels, Endless

注 5　《Black Waves》teamLab, 2016, Digital Installation, Continuous Loop, Sound: Hideaki Takahashi

注 6　《Nirvana》teamLab, 2013, Digital Work, 8 channels, 6 min 20 sec. (loop)

注 7　《世界は、統合されつつ、分割もされ、繰り返しつつ、いつも違う / United, Fragmented, Repeated and Impermanent World》teamLab, 2013, Interactive Digital Work, Endless, 8 channels, Sound: Hideaki Takahashi

注 8　《増殖する生命 / Ever Blossoming Life – Gold》teamLab, 2014, Digital Work, Endless

注9 《交差する永遠の中で連続する生と死 / Continuous Life and Death at the Crossover of Eternity》teamLab, 2020, Interactive Digital Installation, Endless, Sound: Hideaki Takahashi

注10 《Impermanent Life》teamLab, 2017, Digital Work, 4 channels, 10 min (loop)

注11 《永遠の今の中で連続する生と死 II / Continuous Life and Death at the Now of Eternity II》teamLab, 2019, Digital Work, 12 channels, Endless

注12 《永遠の今の中で連続する生と死、コントロールできないけれども共に生きる / Continuous Life and Death at the Now of Eternity, Cannot be Controlled but Live Together》teamLab, 2019, Interactive Digital Installation, Endless, Sound: Hideaki Takahashi

注13 河野道房、『中国山水画史研究』、中央公論美術出版、2018 年、365-369 頁。

注14 三遠は、一つの山を見るときに、麓から山頂を仰ぎ見る高遠、山の手前から山の後ろをうかがうように見る深遠、近山から遠山を望み見る平遠、という三つの視点を同時に用いて一つの山水図を描き出す手法で、北宋期、神宗の時代（1067-1085）に活躍した山水画家である郭熙によって確立された。

注15 https://www.teamlab.art/jp/concept/ultrasubjective-space/ （2024 年 1 月 16 日閲覧）

オールひめじ・アーツ＆ライフ・プロジェクト
All Himeji Arts & Life Project

アートはライフ（命・一生・くらし）に溶け込んでこそ真価を発揮する。姫路市立美術館は、アートのプラットフォームとして、海・島・山・森林・田園、ひめじ全域が擁する地域文化をアートの力で市民ライフの糧として再発見するとともに、新たな姫路の魅力を国内外に発信するアートプロジェクト「オールひめじ・アーツ＆ライフ・プロジェクト」を推進する。

本プロジェクトにおいて姫路市立美術館では、姫路の2大文化資源である姫路城と書寫山圓教寺をつなぎ、有形・無形の文化資源の現代的価値を創出・発信する文化クラスターを形成していくことを目指す。

2021～2024年の4カ年は、「庭園アートプロジェクト」で「霧の彫刻」を担う中谷芙二子氏（現代美術家）をはじめ、日比野克彦氏（現代美術家）、杉本博司氏（現代美術作家）、チームラボ（アートコレクティブ）、隈研吾氏（建築家）の各分野の第一人者によって構成されるコア・アーティスト5名を招聘し一連の表現活動として事業を展開する。

日比野克彦
[2021]

杉本博司
[2022]

中谷芙二子
[2022-2024]
Photo: Laura Miglone

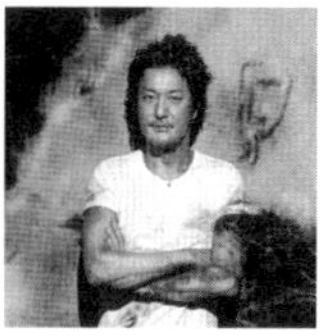

チームラボ
（代表：猪子寿之）
[2023]

隈研吾
[2024]
©J.C.Carbonne

オールひめじ・アーツ&ライフ・プロジェクトの4カ年の事業計画

本プロジェクトは、「文化観光拠点施設を中核とした地域における文化観光の推進に関する法律」（令和2年法律第18号）に基づき文部科学大臣及び国土交通大臣から認定を受けた「姫路市立美術館を中核とした文化観光推進拠点計画」（令和3年5月25日認定）の主要事業に位置付けられている。

【計画共同申請者】

書寫山圓教寺、公益社団法人姫路観光コンベンションビューロー、山陽電気鉄道株式会社、神姫観光株式会社、神姫バス株式会社

1　フォーラム（拠点：姫路城ほか）

姫路市立美術館を核としたアートクラスター形成を推進し芸術文化発信拠点としての機能強化を図るためのコア・アーティストによる公開ディスカッションや来場者が自由に参加できるフリートーク、リレーレクチャー等を実施。

<table>
<tr><th></th><th>アーティスト</th><th>テーマ</th></tr>
<tr><td>2021年度</td><td rowspan="4">日比野克彦
杉本博司
チームラボ
隈研吾
中谷芙二子</td><td>姫路の三大建築美の真髄と可能性～姫路城、圓教寺そして美術館</td></tr>
<tr><td>2022年度</td><td>昔も今も建築は美術です</td></tr>
<tr><td>2023年度</td><td>抱一・其一からチームラボへ　江戸琳派の可能性</td></tr>
<tr><td>2024年度</td><td>負けて勝つ城：建築美の勝利とは何か</td></tr>
</table>

2　庭園アートプロジェクト（拠点：美術館）

世界文化遺産・国宝「姫路城」・国登録有形文化財「姫路市立美術館」・「13点の彫刻作品が置かれた庭園」が三位一体を成す全国的に見ても稀有な絶景そのものを作品化したインスタレーションを展開する。

<table>
<tr><th></th><th>アーティスト</th><th>テーマ／作品名</th></tr>
<tr><td>2021年度</td><td>菅野由弘（作曲家）
明珍宗敬（鍛冶師）</td><td>「日本の心象」展第3章「たまはがねの響――音と光のインスタレーション」</td></tr>
<tr><td>2022年度</td><td rowspan="3">中谷芙二子</td><td>テーマ　身体との対話
作品名　《白鷺が飛ぶ》霧の彫刻 #47769</td></tr>
<tr><td>2023年度</td><td>テーマ　風景を聴く
作品名　《白い風景――原初の地球》霧の彫刻 #47769</td></tr>
<tr><td>2024年度</td><td>テーマ　体・音・光</td></tr>
</table>

3　アーティスト・イン・レジデンス（拠点：圓教寺）

「総合芸術の聖地」（圓教寺住職・大樹玄承）である圓教寺を拠点とし、姫路市の有形・無形の文化資源をテーマとした滞在型制作や現地でのアーティスト・トーク、ワークショップ、インスタレーション、パフォーマンス、公開制作等を行い、クリエイティブな活動を通じた固有の価値の磨き上げと新たな価値を創出。

	アーティスト	展覧会（企画）名
2021年度	日比野克彦	明後日のアートの学校⇨町も海も山も寺も城も人もつながるプロジェクト
2022年度	杉本博司	圓教寺×杉本博司 Five Elements 五輪塔――地 水 火 風 空 Noh Climax 能クライマックス――翁 神 男 女 狂 鬼
2023年度	チームラボ	チームラボ 圓教寺 認知上の存在
2024年度	隈研吾	21世紀版〈生き延びるためのデザイン･ワーク〉:これからの用の美（仮）

4　招聘作家展（拠点：美術館）

アーティスト・イン・レジデンス招聘作家による企画展。姫路城・圓教寺・美術館を創造眼と批評眼の複眼的アプローチで捉えなおして新たな価値を創出し、五感に訴える強度のある展覧会として展開する。

	アーティスト	展覧会名
2021年度	文化観光拠点施設認定記念特別展 「日本の心象　刀剣、風韻、そして海景」	
	日比野克彦	明後日のアート
2022年度	杉本博司	杉本博司 本歌取り――日本文化の伝承と飛翔
2023年度	チームラボ	チームラボ 無限の連続の中の存在
2024年度	隈研吾	自然とはなにか――隈研吾の建築美学、22世紀へのパースペクティブ（仮）

5　招聘作家＆ザ・ミュージアム・コレクション（拠点：美術館）

招聘作家と学芸員の協働によりコレクションを再検証し、招聘作家の作品とのコラボレーションも視野に入れた展開により既存の解釈や価値の更新を試みる。

	アーティスト	展覧会名
2021年度	日比野克彦	The Museum Collection Meets HIBINO「展示室で会いましょう」
2022年度	杉本博司	本歌取り式 名画選――今、交差する 伝統・対話・創造
2023年度	チームラボ	コレクションギャラリー　超主観空間を考えるⅠ～Ⅲ
2024年度	隈研吾	The Museum Collection Meets KUMA（仮）

チームラボ

PROFILE

アートコレクティブ。2001年から活動を開始。集団的創造によって、アート、サイエンス、テクノロジー、そして自然界の交差点を模索している国際的な学際的集団。アーティスト、プログラマ、エンジニア、CGアニメーター、数学者、建築家など、様々な分野のスペシャリストから構成されている。

チームラボは、アートによって、自分と世界との関係と新たな認識を模索したいと思っている。人は、認識するために世界を切り分けて、境界のある独立したものとして捉えてしまう。その認識の境界、そして、自分と世界との間にある境界、時間の連続性に対する認知の境界などを超えることを模索している。全ては、長い長い時の、境界のない連続性の上に危うく奇跡的に存在する。

ニューヨーク、ロンドン、パリ、シンガポール、シリコンバレー、北京、メルボルンなど世界各地でアート展を開催。ミュージアム・大型常設展を、東京「チームラボボーダレス」、「チームラボプラネッツ」、マカオ「teamLab SuperNature Macao」、北京「teamLab Massless Beijing」などで開館した他、今後もアブダビ、ジッダ、ハンブルク、ユトレヒトなどでオープン予定。

チームラボの作品は、ロサンゼルス現代美術館（ロサンゼルス）、ニュー・サウス・ウェールズ州立美術館（シドニー）、南オーストラリア州立美術館（アデレード）、サンフランシスコ・アジア美術館（サンフランシスコ）、アジア・ソサエティ（ニューヨーク）、ボルサン・コンテンポラリー・アート・コレクション（イスタンブール）、ビクトリア国立美術館（メルボルン）、アモス・レックス（ヘルシンキ）に収蔵されている。

チームラボ : https://www.teamlab.art/jp/

Instagram: https://instagram.com/teamlab/

Facebook: https://www.facebook.com/teamLab.inc

X(旧Twitter): https://twitter.com/teamLab_news

YouTube: https://www.youtube.com/c/teamLabART

HISTORY

1. 主な展覧会　2. 代表的な初出作品

2011　チームラボとして初の個展を開催（「チームラボ『生きる』展」）

1. 「チームラボ『生きる』展」
Kaikai Kiki Gallery Taipei、台北、2011.4.10（日）- 5.08（日）
2. 《生命は生命の力で生きている》

2012　台湾の国立美術館にて、外国人の企業では初となる個展を開催。（「チームラボ『We are the Future（藝術超未來）』展」）

1. 個展「チームラボ『We are the Future（藝術超未來）』展」
台湾美術館、台中、2012.5.26（土）- 8.12（日）
2. 《秩序がなくともピースは成り立つ / Peace can be Realized Even without Order – Diorama》

2013　「シンガポール・ビエンナーレ」にビエンナーレのメインのアーティストとして参加。

1. 美術館でのビエンナーレ「シンガポールビエンナーレ 2013 “If The World Changed”」
シンガポールアートミュージアム、シンガポール、2013.10.26（土）- 2014.2.16（日）
2. 《秩序がなくともピースは成り立つ / Peace can be Realized Even without Order》

2014

1. 美術館でのグループ展「ミッション【宇宙×芸術】- コスモロジーを超えて」
東京都現代美術館、東京、2014.6.07（土）- 8.31（日）
2. 《憑依する滝、人工衛星の重力》

1. 「teamLab: Ultra Subjective Space」
Pace Gallery、ニューヨーク、2014.7.17（木）- 8.15（金）
2. 《増殖する生命》

2016　Pace Art + Technology のオープニングエキシビジョンとして個展「teamLab: Living Digital Space and Future Parks」を開催。

1. 個展「teamLab: Living Digital Space and Future Parks」
Pace Art+Technology Menlo Park、カルフォルニア、2016.2.06（土）- 12.18（日）
2. 《Black Waves》

1. 個展（常設）「Future World: Where Art Meets Science」
ArtScience Museum、シンガポール、2016.3.12（土）-
2. 《境界のない群蝶、儚い命》

1. 美術館でのグループ展「Espace, Espaces ! / Space, Spaces」
マーグ財団美術館、サンポールドヴァンス、2016.3.26（土）- 5.16（月）

1. 美術館でのグループ展「宇宙と芸術展：かぐや姫、ダ・ヴィンチ、チームラボ」
森美術館、東京、2016.7.30（土）- 2017.1.09（月）
2. 《追われるカラス、追うカラスも追われるカラス、そして衝突して咲いていく》

2017

1. 個展「teamLab: Graffiti Nature - Still Mountains and Movable Lakes」
ウォーカー・アートセンター、ミネアポリス、ミネソタ、2017.5.20（土）- 9.17（日）

1. 美術館でのビエンナーレ「Gallery Children's Biennale 2017」
ナショナル・ギャラリー・シンガポール、シンガポール、2017.5.20（土）- 10.08（日）

2017

1. 個展「資生堂 presents チームラボ かみさまがすまう森のアート展」
御船山楽園、佐賀、2017.7.14（金）- 10.29（日）＊ teamLab Seasonal Forest Museum
2. 《グラフィティネイチャー - 廃墟の湯屋に住む生き物たち、レッドリスト》2017-

1. 美術館でのグループ展「NGV Triennial」
National Gallery of Victoria、メルボルン、2017.12.15（金）- 2018.4.15（日）
2. 《Moving Creates Vortices and Vortices Create Movement》

2018

1. 個展「teamLab: Au delà des limites」
Grande Halle de La Villette、パリ、2018.5.15（火）- 9.09（日）
2. 《Au-delà des limites に降り注ぐ憑依する滝》

1. 美術館でのグループ展「Children's Festival: Small Big Dreamers 2018」
National Gallery Singapore、シンガポール、2018.6.09（土）- 9.09（日）

1. 個展（常設）「森ビル デジタルアート ミュージアム：エプソン チームラボボーダレス」
東京・お台場、2018.6.21（木）- 2022.8.31（水）＊ teamLab Museum
2. 《The Way of the Sea, Transcending Space - Gold Light, the Nest》

1. 個展（常設）「チームラボプラネッツ TOKYO DMM」
東京・豊洲、2018.7.07（土）- 2027 年末
2. 《意思を持ち変容する空間、広がる立体的存在 - 平面化する３色と曖昧な９色、自由浮遊》

1. 個展「earth music&ecology チームラボ かみさまがすまう森」
御船山楽園、佐賀、2018.7.19（木）- 10.28（日）＊ teamLab Seasonal Forest Museum
2. 《具象と抽象 - 神木の森の入口》

1. 個展「teamLab: Massless」
Amos Rex、ヘルシンキ、2018.8.30（木）- 2019.1.06（日）
2. 《Vortex of Light Particles》

2019

４月、「森ビルデジタルアートミュージアム：エプソン チームラボボーダレス」が、アメリカ・カリフォルニアで開催された「第 25 回ティア・アワード（Thea Awards）」（主催：The Themed Entertainment Association）にて、「優秀功績賞（Thea Awards for Outstanding Achievement）」を受賞。

教科書に掲載される。Emily Jean Hood, Joe Fusaro, "*The Visual Experience, Fourth Edition*", Davis Publications

1. 個展「teamLab: Universe of Water Particles in the Tank」
TANK Shanghai、上海、2019.3.23（土）- 8.31（土）
2. 《Universe of Water Particles in the Tank, Transcending Boundaries》

1. 美術館でのグループ展「TOMORROW IS THE QUESTION」
ARoS Aarhus Art Museum、オーフス、デンマーク、2019.4.06（土）- 8.04（日）

1. 個展「チームラボ 世界は暗闇からはじまるが、それでもやさしくうつくしい」
姫路市立美術館、兵庫、2019.4.20（土）- 6.16（日）
2. 《永遠の今の中で連続する生と死、コントロールできないけれども共に生きる》

1. 美術館でのグループ展「The Life of Animals in Japanese Art」
ナショナル・ギャラリー・オブ・アート、ワシントン D.C.、2019.6.02（日）- 8.18（日）

2019

1. 個展「チームラボ かみさまがすまう森 - earth music&ecology」
御船山楽園、佐賀、2019.7.12（金）- 11.04（月）
2. 《谷間の呼応する森 》

1. 個展「チームラボ 永遠の海に浮かぶ無常の花」
金沢 21 世紀美術館、石川、2019.8.09（金）- 9.01（日）
2. 《反転無分別 - Black in White》

1. 美術館でのグループ展「Every Living Thing: Animals in Japanese Art」
ロサンゼルス・カウンティ美術館、ロサンゼルス、カリフォルニア、2019.9.22（日）- 12.08（日）

2020

教科書に掲載される。Gloria K. Fiero, "*Landmarks in Humanities, 5th Edition*", McGraw-Hill Education/Laurence King Publishing

1. 個展（常設）「teamLab SuperNature Macao」
ベネチアン・マカオ、マカオ、2020.6.15（月）-
2. 《増殖する無量の生命》

1. 個展（常設）「チームラボフォレスト 福岡 - SBI 証券」
BOSS E・ZO FUKUOKA、福岡、2020.7.21（火）-

1. 個展「チームラボ かみさまがすまう森」
御船山楽園、佐賀、2020.7.22（水）- 11.08（日）＊ teamLab Seasonal Forest Museum

1. 個展「teamLab: LIFE」
東大門デザインプラザ（DDP）、ソウル、2020.9.25（金）- 2021.8.22（日）
2. 《境界のない群蝶、境界の向こう側で生まれた命》

2021

教科書に掲載される。
- 『美術２・３上　学びの実感と広がり』日本文教出版
- 『中学社会　公民的分野』日本文教出版
- 中学校美術科副読本『美術資料 神奈川の美術』神奈川県公立中学校教育研究会美術科部会監修、秀学社

1. 美術館でのグループ展「Every Wall is a Door」
Superblue Miami、マイアミ、フロリダ、2021.5.20（木）-

1. 個展「ボルボ チームラボ かみさまがすまう森」
御船山楽園、佐賀、2021.7.16（金）- 11.07（日）＊ teamLab Seasonal Forest Museum
2. 《忘れ去られていた地下道の朽ち果てていく場に永遠に憑依する炎》

1. 個展「teamLab: Continuity」
サンフランシスコ・アジア美術館、サンフランシスコ、カリフォルニア、2021.7.23（金）- 2022.2.28（月）

2022

1. 個展「ボルボ チームラボ かみさまがすまう森」
御船山楽園、佐賀、2022.7.15（金）- 11.06（日）＊ teamLab Seasonal Forest Museum
2. 《生命は結晶化したうごめく光》

1. 個展（常設）「チームラボ ボタニカルガーデン 大阪」
長居植物園、大阪、2022.7.29（金）-
2. 《風の中の散逸する鳥の彫刻群》

2022	1. 個展「teamLab: Impermanent Flowers Floating in a Continuous Sea」 クム美術館、タリン、2022.11.11（金）- 2023.5.07（日）
	1. 個展（常設）「teamLab Massless Beijing」 Chaoyang Joy City、北京、2022.12.24（土）- 2.《Autonomous Abstraction, 宇宙から自分の存在まで連続する現象》
2023	1. 個展「チームラボ 圓教寺 認知上の存在」 書寫山圓教寺、兵庫、2023.4.29（土）- 12.03（日） 2.《質量のない太陽、歪んだ空間》
	1. 個展「チームラボ かみさまがすまう森 - ジーシー」 御船山楽園、佐賀、2023.7.14（金）- 11.05（日）＊ teamLab Seasonal Forest Museum 2.《古えの巨神木へ続く発掘された道》
	1. 個展「チームラボ 無限の連続の中の存在」 姫路市立美術館、兵庫、2023.7.22（土）- 2024.1.21（日） 2.《Dissipative Figures – Human, Light in Dark》
2024～	1. 個展（常設）「森ビル デジタルアート ミュージアム：エプソン チームラボボーダレス」 麻布台ヒルズ、東京、2024.2.09（金）- 2.《Bubble Universe: 実体光、光のシャボン玉、ぷるんぷるんの光、環境によって生み出される光》
	1. 個展（常設）「teamLab Phenomena Abu Dhabi, アブダビ」 サディヤット文化地区、アブダビ、2024 竣工＊ teamLab Museum
	1. 個展（常設）「teamLab Borderless Hamburg: Digital Art Museum, ハンブルク」 Digital Art Museum、ハンブルク、2025 年夏オープン予定 ＊ Permanent Solo Exhibition
	1. 個展（常設）「（仮称）チームラボミュージアム京都」 京都、Coming Soon ＊ teamLab Museum
	1. 個展（常設）「teamLab Borderless Jeddah」 Culture Square、ジッダ、Coming Soon ＊ teamLab Museum

展覧会について

（概要）

本書は、姫路市立美術館「オールひめじ・アーツ＆ライフ・プロジェクト」の事業として開催された、下記展覧会に関連して刊行されたものです。

チームラボ 圓教寺 認知上の存在

会期：令和 5 年（2023）4 月 29 日（土・祝）- 12 月 3 日（日）
会場：書寫山圓教寺 三之堂 食堂
主催：書寫山圓教寺・姫路市立美術館
後援：朝日新聞姫路支局、神戸新聞社、産経新聞社神戸総局、サンテレビジョン、播磨時報社、播磨リビング新聞社、姫路ケーブルテレビ、姫路シティ FM 21、毎日新聞姫路支局、読売新聞姫路支局、ラジオ関西（50 音順）
連携：公益社団法人姫路観光コンベンションビューロー、山陽電気鉄道株式会社、神姫観光株式会社、神姫バス株式会社（50 音順）

（展覧会趣旨）

あらゆる次元においてボーダレスな世界観を追求しているチームラボは近年、「生命とは何か？」そして「存在とは何か？」という大きな問いをテーマに制作に取組んでいます。

例えば、海外で発表され注目を集めている作品例に、物理的には何もないはずの空間に光の球体が浮かんで見えるというものがあります。今、目に見えている世界がそこに存在しているとは限らないということ、つまり見えている世界とは、それを見ている者の認知の中にだけ存在しているということを鑑賞者に気づかせてくれる作品です。

会場は、平安時代から 1 千余年の歴史を刻む名刹・書寫山圓教寺の三之堂を構成する伽藍のひとつで、後白河法皇の勅願により創建された「食堂（じきどう）」（国指定重要文化財）です。現在の建物は室町時代のもので、僧侶の学問や寝食の場でした。2 階建の仏堂としては日本の指定文化財の中で最大規模となる建物の 1 階、全長約 40 メートルの奥深い空間が、チームラボによる最新の作品空間となります。

本展では、物質的には存在しないはずの光の形や輝きが環境と認知の作用によって現象として生み出されるというチームラボ独自の作品が鮮烈に表現される作品が発表されます。

チームラボの作品空間に浸ると、その中に連続して存在する自分自身に目を向けることになります。世界は私達の外に独立してあるのではなく、私達とつながって、私達とともに、私達の中にあるものとして存在していると。「総合芸術の聖地」を提唱する書寫山圓教寺で、私達に投げかけられるチームラボの光の球体は、「生命」そして「存在」という普遍的な問いをめぐる思索へと私達を導くことでしょう。

チームラボ 無限の連続の中の存在

会期：＜前期＞令和５年（2023）７月22日（土）- 10月９日（月・祝）
　　　＜後期＞令和５年（2023）10月21日（土）- 令和６年（2024）1月21日（日）
会場：姫路市立美術館 企画展示室
主催：姫路市立美術館
特別協力：神戸新聞社
後援：朝日新聞姫路支局、産経新聞社神戸総局、サンテレビジョン、播磨時報社、
　　　播磨リビング新聞社、姫路ケーブルテレビ、姫路シティ FM 21、
　　　毎日新聞姫路支局、読売新聞姫路支局、ラジオ関西（50音順）
連携：公益社団法人姫路観光コンベンションビューロー、
　　　山陽電気鉄道株式会社、神姫観光株式会社、神姫バス株式会社（50音順）

（展覧会趣旨）

　チームラボは、アートによって人類の世界認識を変えようとしています。本展において、鑑賞者は、自分が立つ現実空間と、彼らが展開する作品空間がつながる「ボーダレス」な空間――超主観空間――に“没入”する経験を通じて、この世界が連続性の上に成り立っていることを身体的に認識することでしょう。近年、チームラボの探求はさらに深化を遂げ、「生命とは何か」というテーマのもと、次々と作品を発表しています。「私という存在は、心と体とそれらと連続する環境によって創られている」と彼らはいいます。生物と無生物という認識の境界をも超えようとするチームラボの現在地を、前期・後期の展示替えを通して長大なスケールで展開します。

（関連イベント）

《対談》建畠晢×猪子寿之
登壇者：建畠晢氏（埼玉県立近代美術館館長）
　　　　猪子寿之氏（チームラボ代表）
日時：2023年７月22日（土）15:00～16:30
場所：姫路市立美術館２階講堂

子ども鑑賞会
講師：姫路市立美術館学芸員
日時：2023年８月５日（土）14:00～15:00
場所：姫路市立美術館２階講堂、企画展示室

《講演》南條史生氏（森美術館特別顧問）
日時：2023年12月３日（日）15:00～16:30
場所：姫路市立美術館２階講堂

チームラボのメンバーによる子ども向けワークショップ
講師：桑原葉子氏（チームラボ）
日時：2024年１月13日（土）14:00～16:00
場所：姫路市立美術館２階講堂、企画展示室

ワークショップ「別の生きものに変身しよう!!」
講師：姫路市立美術館友の会、meji、姫路市立美術館学芸員
日時：2023年８月18日（金）10:00～12:00／14:00～16:00
場所：姫路市立美術館２階講堂、企画展示室
主催：姫路市立美術館友の会　共催：姫路市立美術館

出品リスト

「チームラボ 圓教寺 認知上の存在」

1 pp.042–043
質量のない太陽、歪んだ空間
Massless Sun, Distorted Space
teamLab, 2023, Digital Installation, Endless, Sound: Hideaki Takahashi

2 pp.044–045
我々の中にある巨大火花
Giant Solidified Spark
teamLab, 2022, Interactive Digital Installation, Sound: teamLab

「チームラボ 無限の連続の中の存在」

＜前期＞

1 pp.004–007
生命は生命の力で生きている II
Life Survives by the Power of Life II
teamLab, 2020, Digital Work, 60 min (loop), Source Calligraphy: Sisyu

2 pp.008–011
Autonomous Abstraction, 宇宙から自分の存在まで連続する現象
Autonomous Abstraction, Continuous Phenomena from the Universe to the Self
teamLab, 2022, Interactive Digital Installation, Endless, Sound: teamLab

3 pp.012–015
増殖する無量の生命の森
Forest of Proliferating Immense Life
teamLab, 2023, Interactive Digital Installation, Sound: Hideaki Takahashi

4 pp.016–019
反転無分別 - Light in Dark
Reversible Rotation - Light in Dark
teamLab, 2023, Digital Installation, Sound: Hideaki Takahashi

5 pp.020–023
Dissipative Figures – Human, Light in Dark
teamLab, 2023, Digital Work, Single channel, Continuous loop

＜後期＞

6 pp.026–027
憑依する炎
Universe of Fire Particles
teamLab, 2021, Digital Work, Single channel, Continuous Loop

7 pp.028–029
群蝶、儚い命
Flutter of Butterflies, Ephemeral Life
teamLab, 2020, Interactive Digital Installation, Endless, Sound: Hideaki Takahashi

8 pp.030–035
連続する生と死
Continuous Life and Death
teamLab, 2023, Interactive Digital Installation, Endless, Sound: Hideaki Takahashi

9 pp.036–037
Dissipative Figures – 1000 Birds, Light in Dark
teamLab, 2023, Digital Installation, Continuous loop, Sound: Hideaki Takahashi

10 pp.038–039
Matter is Void - Fog
teamLab, 2022, Digital Work, Endless

謝辞

「チームラボ 圓教寺 認知上の存在」展及び「チームラボ 無限の連続の中の存在」展の開催にあたり、多大なるご協力を賜りました関係機関、関係各位、並びにここにお名前を記すことのできなかった全ての皆様に、厚く御礼申し上げます。（敬称略）

チームラボ

大樹玄承
大池慧承
高橋哲也

隈 研吾
今井博康

小川 勝
鎌田東二
建畠 哲
筒井忠仁
中村桂子
南條史生
福岡伸一

岸本 康
木村泰平
佐野 誠
首藤成利
ダニエル・ボレンガッセール
中尾宏嗣
中道 淳

浦谷さおり

文化庁

Pace Gallery

書寫山圓教寺

隈研吾建築都市設計事務所

（公社）姫路観光コンベンションビューロー
山陽電気鉄道株式会社
神姫観光株式会社
神姫バス株式会社

西日本旅客鉄道株式会社

姫路市立美術館友の会
meji

株式会社金木犀舎

写真及び資料提供

teamLab

主要参考文献

本書作成にあたり、チームラボの歴史・作品・コンセプト等を参照するために用いた文献のうち、主要なものを以下に挙げる。

・「起・業・人 (Number 228) チームラボ社長 猪子寿之 世界が注目する技術力と表現力 エンジニア集団を束ねるピュアな表現者」『週刊ダイヤモンド』4215 号、2008 年

・「美術手帖 特集：ピクシブ チームラボ」、no.952(vol.63)、2011 年 6 月号

・猪子寿之 監修、『チームラボって、何者？』、マガジンハウス、2013 年

・チームラボ、『teamLab 2001-2016』、チームラボ、2016 年

・「Pen（ペン）特集：アートの境界を超えるクリエイティブ集団　チームラボの正体。」、no.454、2018 年 1 月号

・南條史生 編、『チームラボ 永遠の今の中で』、青幻舎、2019 年

・猪子寿之、宇野常寛、『人類を前に進めたい チームラボと境界のない世界』、PLANETS/第二次惑星開発委員会、2019 年

・Karin G. Oen, Clare Jacobson, eds., *teamLab: CONTINUITY*, San Francisco (Asian Art Museum), 2020.

・Laura Lee, *Worlds Unbound: The Art of teamLab*, Bristol / Chicago, 2022.

・「Forbes JAPAN teamLab Borderless」、2022 年 10 月号別冊

・日比野克彦、杉本博司、中谷芙二子、チームラボ、隈研吾他、『All Himeji Arts & Life Forum』、金木犀舎、2023 年

・チームラボ公式ホームページ（https://www.team-lab.com/）

※本書の情報は 2024 年 2 月時点のものです。

teamLab

チームラボ 無限の連続の中の存在

Existence in an Infinite Continuity

2024 年 3 月 27 日　初版第 1 刷発行

企画　姫路市立美術館

協力　チームラボ

編集・デザイン　浦谷さおり（金木犀舎）

発行所　株式会社 金木犀舎
〒670-0901
兵庫県姫路市西二階町120番地 西松屋きものビル 6 階
TEL 079-229-3457 ／ FAX 079-229-3458
https://kinmokuseibooks.com/

印刷・製本　シナノ書籍印刷株式会社

ISBN 978-4-909095-55-8　C0070